C0-AZR-271

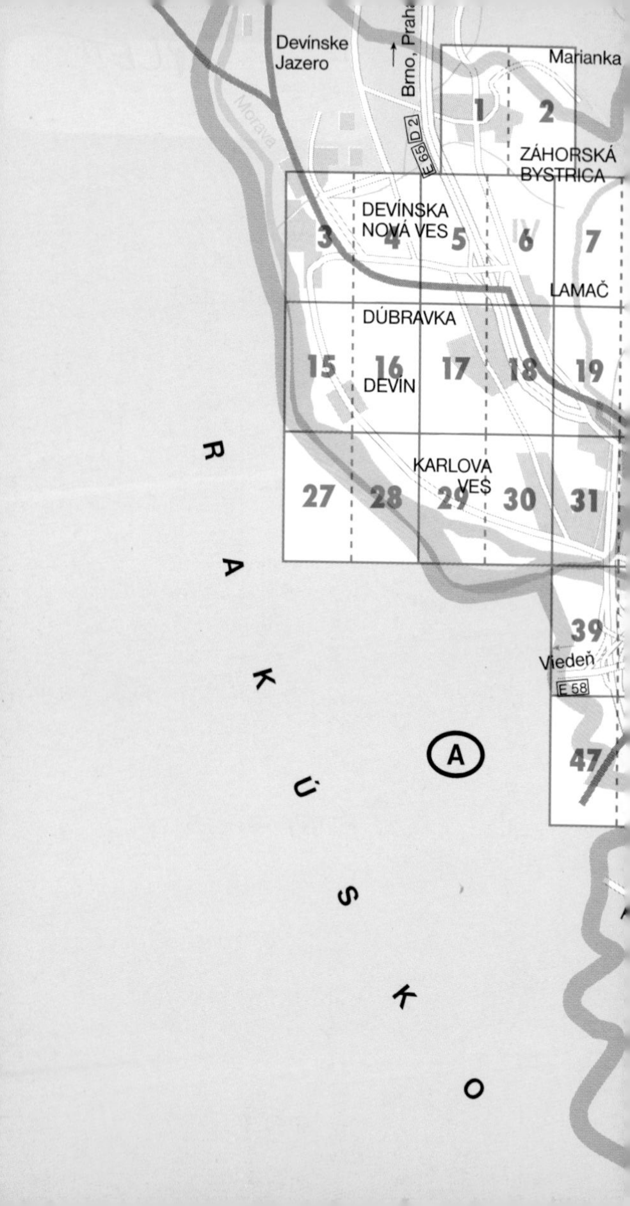

Devínske Jazero
Brno, Praha
E 65
D 2
Morava
Marianka
1
2
ZÁHORSKÁ BYSTRICA
DEVÍNSKA NOVÁ VES
3
4
5
6
7
LAMAČ
DÚBRAVKA
15
16
17
18
19
DEVÍN
KARLOVA VES
27
28
29
30
31
39
Viedeň
E 58
47
A
RAKÚSKO

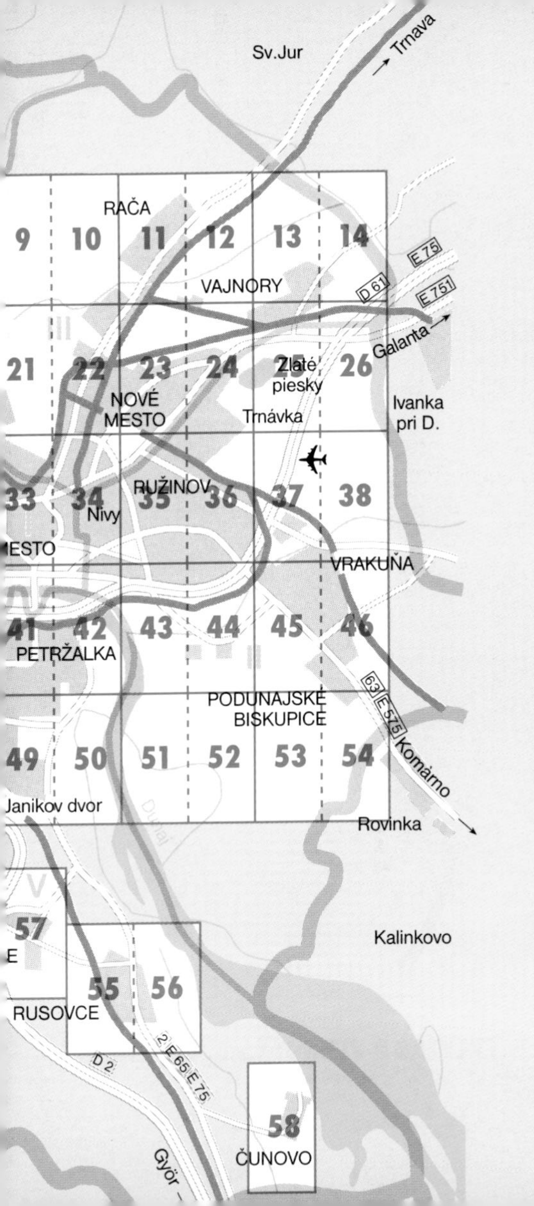

Sv.Jur
Trnava
RAČA
9
10
11
12
13
14
E 75
VAJNORY
D 61
E 751
Galanta
21
22
23
24
Zlaté
piesky
26
NOVÉ
MESTO
Trnávka
Ivanka
pri D.
RUŽINOV
33
34
35
36
37
38
Nivy
ESTO
VRAKUŇA
41
42
43
44
45
46
PETRŽALKA
63
E 575
PODUNAJSKÉ
BISKUPICE
Komárno
49
50
51
52
53
54
Janikov dvor
Rovinka
57
E
Kalinkovo
55
56
RUSOVCE
D 2
2
E 65
E 75
58
ČUNOVO
Győr

2071 - 1822
Platnosť 12/05

www.freytagberndt.com
Vydanie 1.
ISBN 3-7079-0286-2

Vreckový atlas

BRATISLAVA

1:20 000

Mapa okolia, prejazdný plán, prehľad MHD, centrum, zoznam ulíc

freytag & berndt

www.freytagberndt.com

OBSAH INHALT TARTALOM CONTENTS

Ladendorf
Herrnleis
Hobersbrunn
Neubau
Atzelsdorf
Kreuzstetten
Wolfpassing
Hautzendorf
Schleinbach
Ulrichskirchen
Wolkersdorf
im Weinviertel
Obersdorf
Eibesbrunn
Seyring
Gerasdorf
Aderklaa
Breitenlee
Stadlau
Aspern
Eßling
WIEN
Albern
Mannswörth
Schwechat
Rannersdorf
Himberg
Schwadorf
Ebergassing
Gramatneusiedl
Moosbrunn
Reisenberg
Seibersdorf
D. Brodersdorf
Loretto
Stotzing
Hornstein
Sonnenberg
Eisenstadt
Zistersdorf
Blumenthal
Schrick
Obersulz
Niedersulz
Gaweinstal
Bad Pirawarth
Hohenruppersdorf
Gr. Schweinbarth
Matzen
Auersthal
Prottes
Bockfließ
Schönkirchen
Gänserndorf
Strasshof
a.d. Nordb.
Deutsch-Wagram
Markgraf-
neusiedl
Raasdorf
Leopolds-
dorf
Groß-
Enzersdf.
Rutzendorf
Wittau
Franzensdorf
Breitstetten
Wagram
Lobau
Donau
Schönau
Orth a. d. D.
Eichhorn
Drosing
Großinzersdorf
Loidesthal
Dürnkrut
Spannberg
Velm Götzendf.
Ebenthal
Stillfried
Ollersdorf
Angern
Weikendorf
Zwerndorf
Oberweiden
Obersiebenbrunn
Untersiebenbrunn
Breitensee
Marchfeld
Lassee
Schloßhof
Haringsee
Engelhartstetten
Kopfstetten
Witzelsdorf
Eckartsau
Stopfenreuth
Hainburg
Marchegg
Baumgarten
A
Malé
Levare
Gajary
Kostolište
Malacky
Jakubov
Plavecký Štvrtok
Záhorská Ves
Láb
Vysoká pri Morave
Zoho
Devin
Fischamend-
Markt
Haslau
Maria Ellend
Wildungsmauer
Bad
Deutsch-Altenburg
Carnuntum
Petronell-
Carnuntum
Hundsheim
Rauchenwarth
Enzersdorf
Arbesthal
Stixneusiedl
Höflein
Rohrau
Hollern
Edelstal
Prellenkirchen
Potzneusiedl
Margarethen
Götzendorf
Trautmannsdorf
Bruck
a. d. Leitha
Wilfleinsdorf
Sommerein
Truppen-
übungspl.
Kaisersteinbruch
Parndorf
Zurndorf
Mannersdorf
Jois
Winden
Neusiedl a. See
Hof
Leitha Geb.
Purbach
Weiden
a. See
Gols
Mönchhof
Donnerskirchen
Neusiedler
See
Halbturn
Podersdorf
a. See
St. Georgen
Schützen a. Geb.
E461
E58
E60

Bukova
Dechtice
Studienka
VO
Plavecký Mikuláš
768
Trstín
Kátlovce
Záruby
Hor. Krupá
Záhorie
Smolenice
Dol. Krupá
Plavecké Podhradie
Plavecký hrad
Driny
Jaslovské Bohunice
Hor. Orešany
Malženice
748
Rohožník
Sološnica
SK
Boleráz
Špačince
Dol. Orešany
Bohdanovce n. Tr.
Vysoká
754
Červ. Kameň
Doľany
Trnávka
Kuchyňa
Suchá n. Parnou
Častá
Trnava
Ružindol
Dubová
D. Lovčice
Pernek
Budmerice
Hrnčiarovce n. Parnou
Zavar
Modra
Višňuk
22
Zeleneč
Somár
650
Gidra
Cífer
Báhoň
Pezinok
Šenkvice
Majcichov
Vlčkovce
10
Viničné
Čataj
Voderady
37
Blatné
Svätý Jur
Slov. Grob
Veľ. Grob
Abrahám
Marianka
Reca
Chorvátsky Grob
E75
Pusté Úľany
56
Veľ. Biel
Senec
E571
Sládkovičovo
SLAVA
Bernolákovo
Kráľová pri Senci
Čierna voda
Ivanka pri Dunaji
Nová Dedinka
Veľ. Úľany
Košúty
2002
Malinovo
Hrubý Šúr
Čierny Brod
Jelka
Mostová
Vrakuňa
Most pri Brat.
Tomášov
Čierna Voda
Zlaté Klasy
Podunajské Biskupice
Čakany
Nový Život
Petržalka
Rovinka
Štvrtok na Ostrove
Malý Dunaj
Blahová
Dunaj Lužná
vodné d. Gabčíkovo
Jarovce
Lehnice
Rusovce
Hamuliakovo
Veľ. Paka
Hor. Potôň
68
Čunovo
Orechová Potôň
Veľ. Blahovo
Šamorín
Mliečno
Deutsch Jahrndorf
Blatná n. Ostr.
Veľ. Dvorníky
Rajka
Holice
E575
Báč
Rohovce
Kostolné Kračany
Dunaj. Streda
29
Vojka n. Dunaj
Lúč na Ostr.
Dunakiliti
Bezenye
E75
E65
Dunasziget
Hor. Bar
Jurová
Vrakúň
Feketeerdő
Hegyeshalom
H
Trstená na Ostr.
Kisbodak
Baka
Halászi
Püski
Gabčíkovo
Leyér
Dunaremete
sonmagyaróvár
Lipót
Pataš
Mérpuszta
Máriakálnok
Damózseli
Mosonszolnok

Praha, Brno
Stupava
Stupava
Stupava
Devínska Nová Ves
Tri rady
Rakyty
Lamačský potok
Antošov kanál
Dúbravský potok
Dúbravčice
D2
LAMAČ
Francov
Hrubá pleš
Umový háj
Hrubý vrch
hor. Kačín
Panský les
Čierny vrch
M A L É K A R P A T Y
Bratislavský les
Bratislavská hora
Bystrička
Vydrica
Agátova
Plánky
Podháj
Klanec
Hrubý Drieňovec
Podvornice
Hodonínska
Za blatom
Dúbravská hlavica
356
Devínska Kobyla
Saratovská
Lamač
Železná studienka
Bukva
Janka Alexyho
Bratislava-Lamač
Lesy
Lamačská cesta
M.Schneidra-Trnavského
Televízna veža
Kamzík
381
Krivé ja
Švábsky vrch
367
Dúbravka
Továrnikova osada
Záluhy
Harmincova
Mestská hora
Polianky
Karloveská
Bratislava-Železná studienka
Koliba
Jezuitské lesy
Kráľova hora
Pri Habánskom
Limbová
Stromová
Karlova Ves
Brnianska
Kramáre
Vinohrad
Lovinského
Pražská
Mlynská dolina
Horský park
Búdkova
Slávičie údolie
Devínska cesta
Dlhé Diely
MLYNSKÁ DOLINA
Botanická
Staré Mesto
Mudroňova
Palisády
Štefánikova
Starom. most
Sihoť
Židovský cintorín
Nábr. arm. gen. Ludvíka Svobodu
Dunaj
D u n a j s k ý l e s
1 Rázusovo nábr.
2 Vajanského nábr.
3 Dostojevského rad
Nový most
Einsteinova
Viedenská cesta
Rusovská cesta
Dvory
Bratislava-Petržalka
colnica
PETRŽALKA
Kapitulské pole
Panónska cesta
Bratská
Jiráskova
Pajštúnska
Šintavská
Jantárova cesta
Vojenský dvor
Budatínska
Prostredné lúky
Nové pole
Rajka, Kittsee
BRATISLAVA
Prejazdný plán, Durchfahrtsplan, Áthajtási térkép, Through roads
Diaľnica, Autobahn, Autópálya, Motorway
Prejazdná cesta, Durchfahrtsstraße, Fontos áthajhási út, Through road
Železnica, Eisenbahn, Vasút, Railway
Štátna hranica, Staatsgrenze, Államhatár, State boundary
Hranica hlavného mesta, Grenze der Haupstadt, Tartomáhy-(Land) határ, Capital boundary
Kemping, Campingplatz, Szátor tábor, Camping site

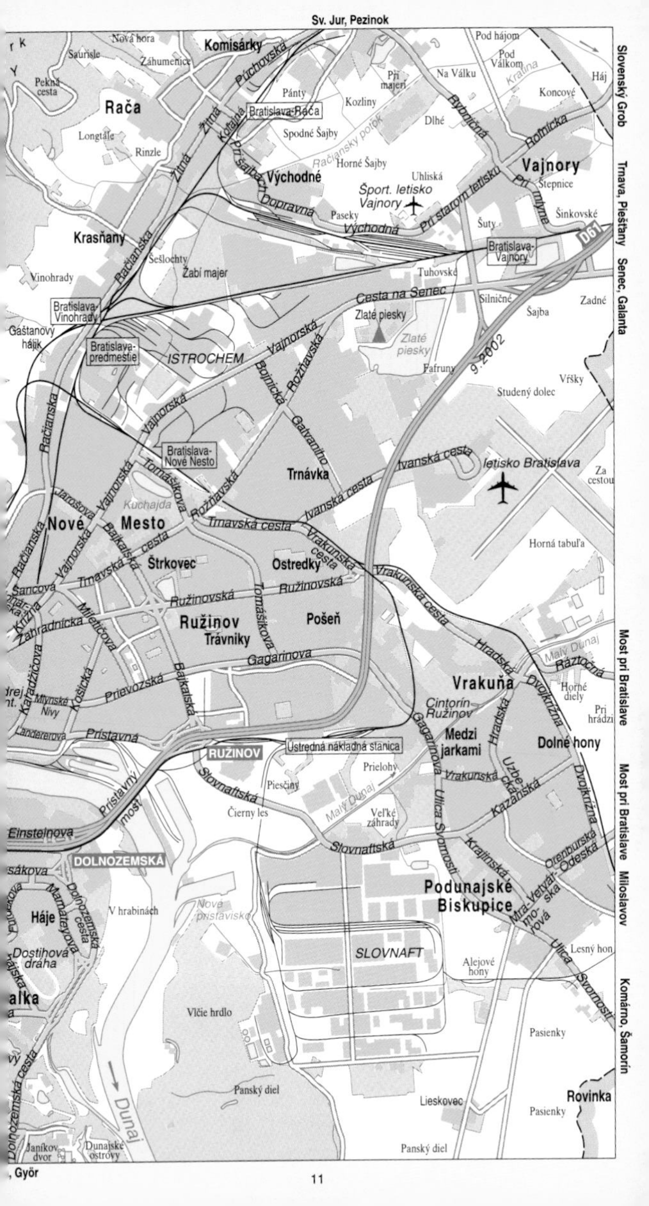
Sv. Jur, Pezinok
Slovenský Grob
Trnava, Piešťany
Senec, Galanta
Most pri Bratislave
Most pri Bratislave
Miloslavov
Komárno, Šamorín
, Györ
Komisárky
Nová hora
Saurisle
Záhumenice
Pekná cesta
Rača
Longtále
Rinzle
Púchovská
Žitná
Kotajná
Bratislava-Rača
Pánty
Kozliny
Pri majeri
Na Válku
Pod hájom
Pod Válkom
Kratina
Háj
Koncové
Dlhé
Spodné Šajby
Račiansky potok
Horné Šajby
Rybničná
Rožňavská
Roľnícka
Vajnory
Východné
Pri Šajbách
Uhliská
Šport. letisko Vajnory
Pri starom letisku
Pri mlyne
Štepnice
Šinkovské
Dopravná
Paseky
Východná
Šuty
Krasňany
Račianska
Šešlochty
Žabí majer
Bratislava-Vajnory
D61
Vinohrady
Tuhovské
Bratislava-Vinohrady
Cesta na Senec
Silničné
Zadné
Šajba
Zlaté piesky
Gaštanový hájik
Bratislava-predmestie
ISTROCHEM
Vajnorská
Bojnická
Rožňavská
Fafruny
9.2002
Vŕšky
Studený dolec
Galvaniho
Bratislava-Nové Mesto
Ivanská cesta
letisko Bratislava
Za cestou
Trnávka
Tomášikova
Jarošova
Kuchajda
Nové Mesto
Trnavská cesta
Vrakunská cesta
Horná tabuľa
Bajkalská
Štrkovec
Ostredky
Šancová
Ružinovská
Krížna
Mileticova
Zahradnícka
Ružinov
Trávniky
Pošeň
Karadžičova
Košická
Gagarinova
Hradská
Malý Dunaj
Ráztočná
Prievozská
Mlynské Nivy
Vrakuňa
Dvojkrížna
Horné diely
Cintorín Ružinov
Pri hrádzi
Landererova
Prístavná
Medzi jarkami
Dolné hony
RUŽINOV
Ústredná nákladná stanica
Prielohy
Uzbecká
Vrakunská
Kazanská
Piesčiny
Slovnaftská
Prístavný most
Čierny les
Veľké záhrady
Ulica Svornosti
Einsteinova
Krajinská
Orenburská
Odeská
DOLNOZEMSKÁ
Podunajské Biskupice
Mramorová
Vetvárska
Háje
Dolnozemská cesta
Nové prístavisko
V hrabinách
Dostihová dráha
SLOVNAFT
Lesný hon
Alejové hony
Vlčie hrdlo
Pasienky
Panský diel
Lieskovec
Rovinka
Pasienky
Dunaj
Janíkov dvor
Dunajské ostrovy
Panský diel

VYSVETLIVKY
ZEICHENERKLÄRUNG

JELMAGYARÁZAT
CONVENTIONAL SIGNS

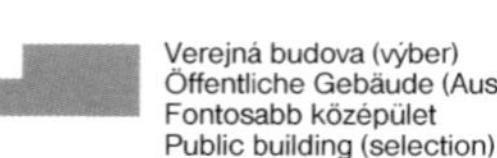

Verejná budova (výber)
Öffentliche Gebäude (Auswahl)
Fontosabb középület
Public building (selection)

Pamätihodnosť (výber)
Sehenswürdigkeit (Auswahl)
Fontosabb látnivaló
Object of interest (selection)

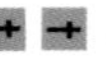

Kostol, kaplnka
Kirche, Kapelle
Templom, kápolna
Church, chapel

Záhradkárska osada
Kleingartenanlage
Kiskertek
Allotment gardens

Priemyselná oblasť
Industriegelände
Ipari terület

Cyklocesta
Radwanderweg
Kerékpárútvonal
Bicycle path

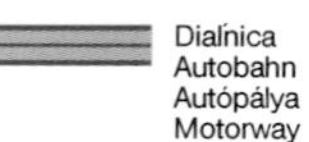

Dialnica
Autobahn
Autópálya
Motorway

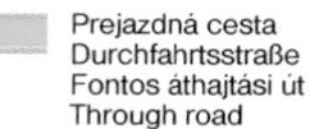

Prejazdná cesta
Durchfahrtsstraße
Fontos áthajtási út
Through road

Pešia zóna
Fußgängerzone
Sétáló ucta
Pedestrian precinct

Štátna hranica
Staatsgrenze
Államhatár

Polícia
Polizei
Rendőrség
Police

Zdravotnícke zariadenie
Gesundheitseinrichtung
Egészségügyi intézmények
Health establishment

Pošta
Postamt
Posta
Post office

Hraničný priechod
Grenzübergang
Nemzetközi határátkelő
Border crossing point

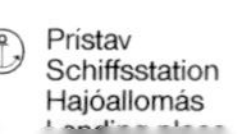

Prístav
Schiffsstation
Hajóallomás

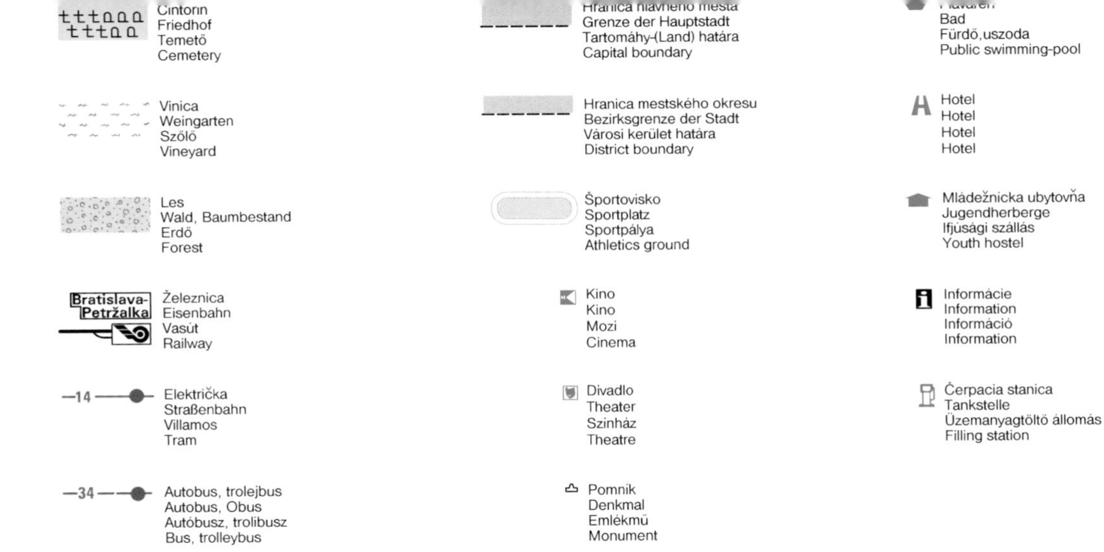

1 : 20 000

0 200 400 600 800m

1 cm ≙ 200 m

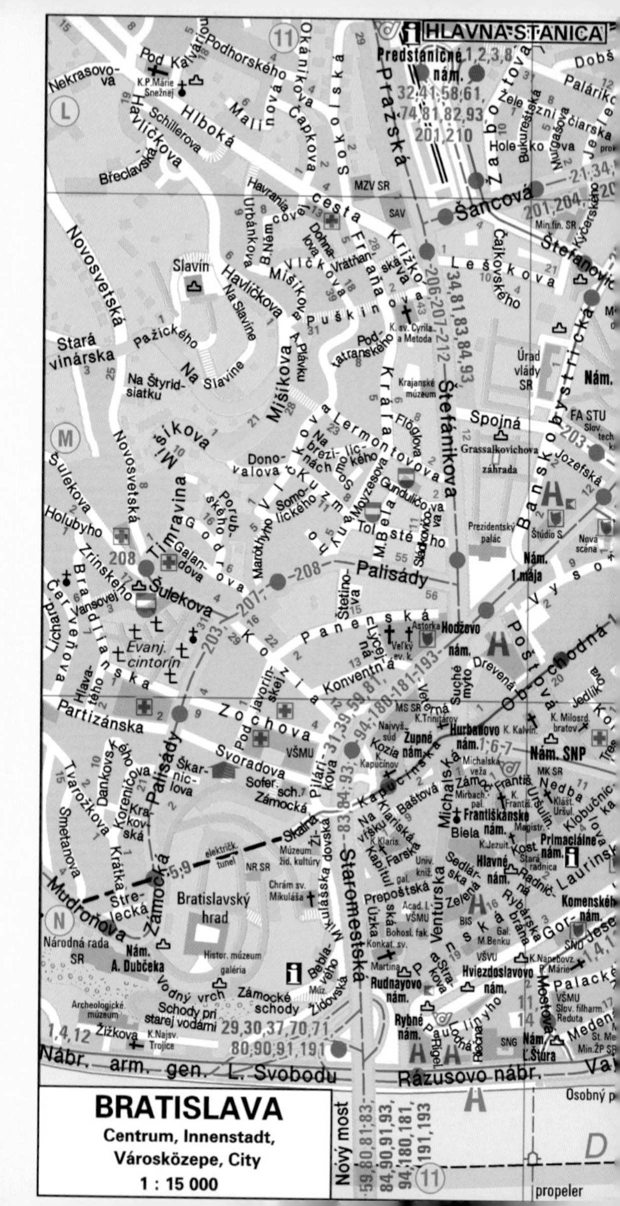

BRATISLAVA
Centrum, Innenstadt,
Városközepe, City
1 : 15 000
HLAVNÁ STANICA
Predstaničné nám.
32,41,58,61,
74,81,82,93
201,210
Pražská
Šancová
Žabotova
Palárikova
Jelenia
Holekova
Bukureštská
Murgašova
Karadžičova
Kýčerského
Štefanovičova
Leškova
Čajkovského
Štefánikova
Spojná
Grassalkovichova záhrada
Prezidentský palác
Banskobystrická
Jozefská
Úrad vlády SR
Nám.
FA STU
Štúdio S
Nová scéna
Nám. 1.mája
Vysoká
Poštová
Obchodná
Jedlíkova
K. Milosrd. bratov
Hodžovo nám.
Drevená
Suché mýto
Hurbanovo nám.
Nám. SNP
Michalská
Michalská veža
Františ. nám.
Františkánske nám.
Uršulínska
Klobučnícka
Nedbalova
Primaciálne nám.
Laurinská
Hlavné nám.
Stará radnica
Radničná
Rybárska brána
Komenského nám.
Gorkého
Jesenského
SND
Hviezdoslavovo nám.
Mostová
Palackého
Medená
VŠMU
Slov. filharm. Reduta
Nám. Ľ.Štúra
SNG
Rybné nám.
Rudnayovo nám.
Paulínyho
Lodná
Riečna
Rázusovo nábr.
Nábr. arm. gen. L. Svobodu
Osobný p
propeler
Nový most
59,80,81,83,
84,90,91,93,
94,180,181,
191,193
Staromestská
Panenská
Konventná
Palisády
Zochova
Kapucínska
Župné nám.
Baštová
Klariská
Farská
Kapitulská
Prepoštská
Venturska
Sedlárska
Zelená
Panská
Úzka
Na vŕšku
Biela
Hurbanovo
Bratislavský hrad
Histor. múzeum
Zámocké schody
Schody pri starej vodami
Vodný vrch
Žižkova
Nám. A. Dubčeka
Národná rada SR
Archeologické múzeum
Mudroňova
Zámocká
Strelecká
Krátka
Smetanova
Tvarožkova
Dankovského
Koreničova
Kravská
Škarnicilova
Svoradova
Partizánska
Šulekova
Timravina
Zrinského
Bradlianska
Čerčeňova
Lichardova
Hlavatého
Vansovej
Evanj. cintorín
Galandova
Godrova
Porubského
Marothyho
Somolického
Kuzmányho
Moyzesova
Gundulićova
Tolstého
Sládkovičova
M.Bela
Lermontovova
Na brezinách
Donovalova
Vlčkova
Mišíkova
Novosvetská
Holubyho
Stará vinárska
Na Štyridsiatku
Pažického
Na Slavíne
Slavín
Havlíčkova
Puškinova
Podtatranského
Krížkova
Kráľa
Frana Kráľa
Vrátňanská
Dohnalova
Mišíkova
B.Němcovej
Urbánkova
Havrania
cesta
Hlboká
Schillerova
Břeclavská
Nekrasovova
Pod Kalváriou
Podhorského
Malinová
Čapkova
Okánikova
Sokolská
MZV SR
SAV
K. sv. Cyrila a Metoda
Krajanské múzeum
Flöglova
Palisády
Štetinova
Lýcejná
Kozia
Pilárikova
Podjavorinskej
VŠMU
Múzeum žid. kultúry
Chrám sv. Mikuláša
NR SR
Beblavého
Židovská
Mikulášska
električ. tunel
29,30,37,70,71,
80,90,91,191
K.Najsv. Trojice
1,4,12

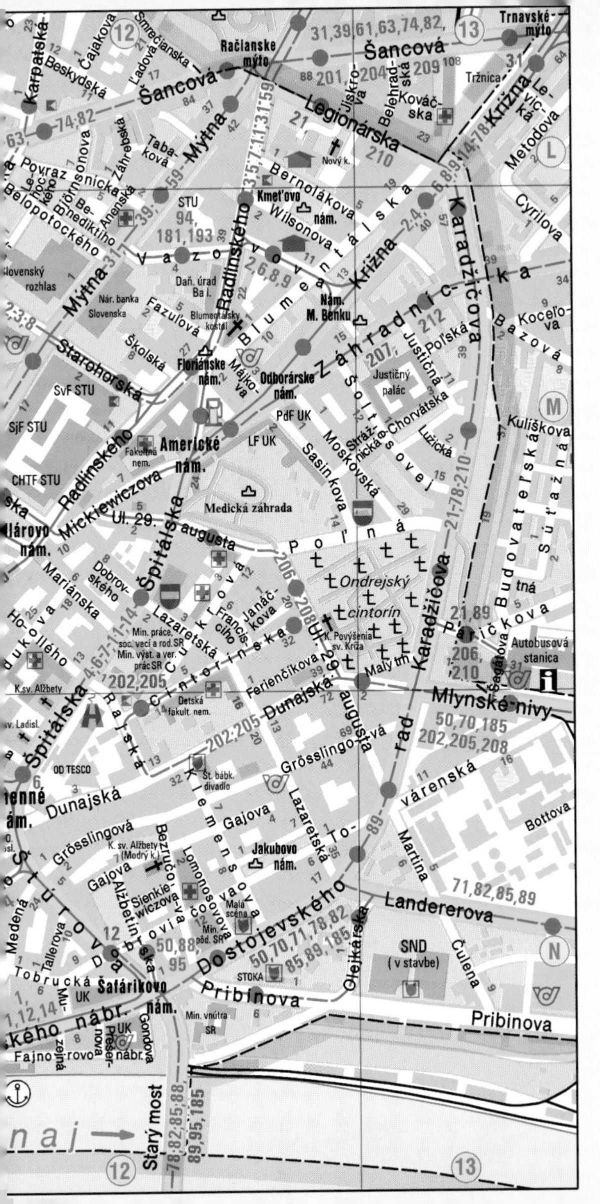

Trnavské mýto
Račianske mýto
Šancová
Legionárska
Jiskrova
Belehradská
Kováčska
Tržnica
Krížna
Levická
Metodova
Cyrilova
Karpatská
Čajakova
Smrečianska
Beskydská
Ľadová
Mýtna
Tabaková
Záhrebská
Povraznícka
Björnsonova
Lehockého
Benediktiho
Belopotockého
Anenská
STU
Vazovova
Radlinského
Kmeťovo nám.
Bernolákova
Wilsonova
Nový k.
Blumentálska
Nám. M. Benku
Karadžičova
Záhradnícka
Slovenský rozhlas
Daň. úrad Ba I.
Nár. banka Slovenska
Fazuľová
Blumentálsky kostol
Školská
Floriánske nám.
Májkova
Odborárske nám.
Starohorská
SvF STU
SjF STU
CHTF STU
PdF UK
LF UK
Americké nám.
Fakultná nem.
Justičná
Justičný palác
Poľská
Koceľova
Bazová
Chorvátska
Lužická
Šoltésovej
Strážnická
Moskovská
Sasinkova
Kulíškova
Budovateľská
Súťažná
Mickiewiczova
Medická záhrada
Ul. 29. augusta
Poľná
Špitálska
Mariánska
Dobrovského
Lazaretská
Cukrová
Františkánskeho
Janáčkova
Ondrejský cintorín
Cintorínska
K. Povýšenia sv. Kríža
Malý trh
Páričkova
Autobusová stanica
Šagátova
Min. práce, soc. vecí a rod. SR
Min. výst. a ver. prác SR
Ferienčíkova
Dunajská
Mlynské nivy
Hollého
K.sv. Alžbety
Rajská
Detská fakult. nem.
Grösslingová
Vazovova
OD TESCO
Št. bábk. divadlo
Klemensova
Gajova
Lazaretská
Továrenská
Bottova
Martina
Jakubovo nám.
K. sv. Alžbety (Modrý k.)
Bezručova
Lomonosovova
Sienkiewiczova
Alžbetínska
Dobrovičova
Malá scéna
Min. pôd. SR
Dostojevského rad
Landererova
Olejkárska
SND (v stavbe)
Čulena
Medená
Tallerova
Štúrova
Tobrucká
Šafárikovo nám.
Mudroňova
STOKA
Pribinova
Min. vnútra SR
Fajnorovo nábr.
Preserova
Gondova
Starý most
Dunaj
Kamenné nám.
Dunajská

1
Hrachovisko
Za rybníkom
5
6
A
Mariansky potok
Hrachovisko
Ivance
Bratislavská
160
ZÁHORSKÁ BYSTRICA
Záhumenská
Trstínska
Záhorská
Jána Raka
Bystrický potok
Československých tankistov
Pútnická
B
37
MÚ Záhorská Bystrica
Nám. sv. Petra a Pavla
Čs. tankistov
Dolné Juráčky
Gbelská
Spoloč. dom
Poľnohospodárske družstvo
Hargašova
Tatranská
Tatra
TV Markíza
Bratislavská
Krče
C
Vápenický potok
Donská
D2
Kulháň
Dievčí hrádok
201
D
Piesky
5
6
5

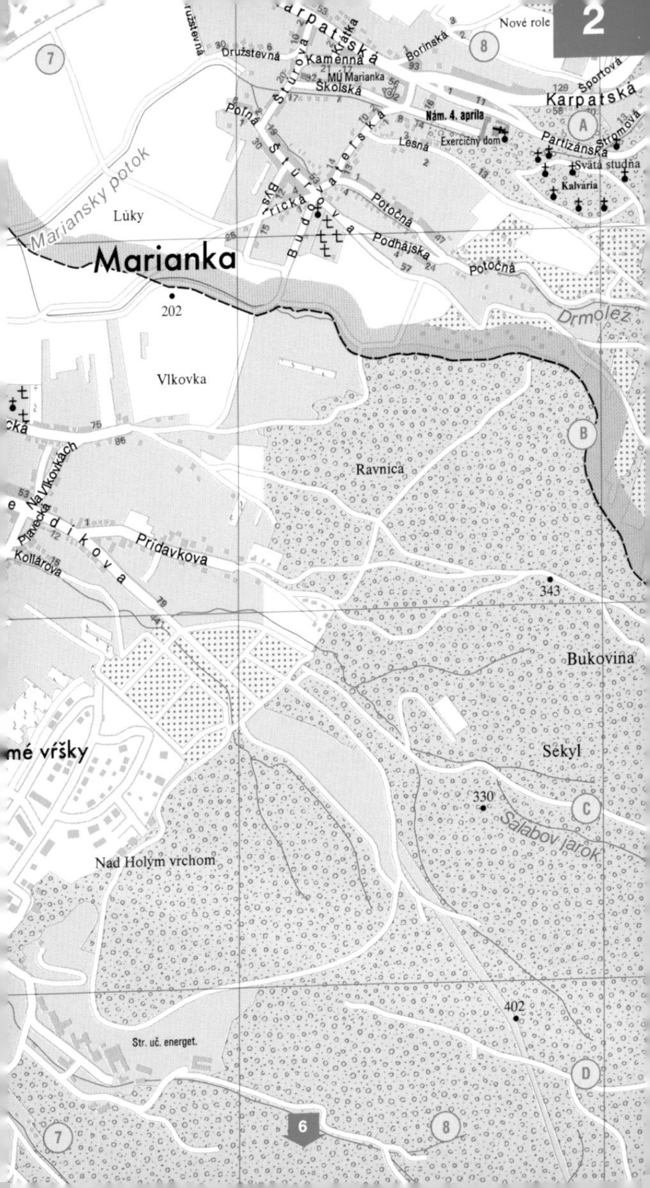
Marianka
Karpatská
Krátka
Kamenná
Družstevná
Štúrova
MÚ Marianka
Školská
Borinská
Nové role
Športová
Nám. 4. apríla
Poľná
Exercičný dom
Partizánska
Stromová
Svätá studňa
Kalvária
Lesná
Potočná
Budovateľská
Bystrická
Podhájska
Mariansky potok
Lúky
Drmolež
Vlkovka
Ravnica
Na Vlkovkách
Plavecká
Pridavkova
Kollárova
Bukovina
Sekyl
Šalabov jarok
Nad Holým vrchom
Str. uč. energet.
202
343
330
402
A
B
C
D
7
8
6

BAZ-Volkswagen
Panské
tehelňa
Poľnohospodárske družstvo
Tehliarska
Opletalova
Bystrická
Poniklecová
Mečíková
Jána Jonáša
Kolónia
Janšákova
Kremencová
Ílová
Devínska Nová Ves
colnica
Záhradná
Textilanka
Milana Pišúta
Mlynská
Za Mlákou
Brežná
Záveterná
Magnetitová
Čistiaca stanica odpadových vôd
Istrijská
Vápencová
Na kaštieli
Navyhliadke
Spádová
Delená
Samova
Na Grbe
Bridlicová
Mláka
DEVÍNSKA NOV
Novoveská
Charkovská
Na mýte
MÚ Dev.N.Ves
Kalištná
Ul. 1. mája
Kosatcová
Uhrovecká
DK
Hradištná
Ivana Bukovčana
Milana Marečka
Jána Poničana
Kostolné
Zelnice
Nám. 6. apríla
Eisnerova
Želiarska
Nám. J.Kostru
Poničana
Jána
Podhorská
Na Primoravská
Na hriadkach
Kremeľská
Slovinec
Pieskovcová
Pod Lipovým
Pavla Horova
J.Smreka
Jána Smreka
Štefana Králika
Podhorské
Glavica
Na Skale
Morava
Srdce

4
3
4
erské
27;92
D
Lamačský potok
Dúbravský potok
ovice
E
5
Kamenáče
Kamenáče
27
20;21;22;92
F
Slov. závody technického skla
Agátc
16
3
4
Veľká lú

5
Dlhé pole
Lamačský potok
Tri rady
Rakyty
Antošov kanál
amenáče
Dúbravčice
Dúbravský potok
Hrubé
21;92
Agátová
Agátová 20
22;21
Slov. závody technického skla
Centrum voľného času (v stavbe)
20;22;21
Veľká lúka
Villa rustica

2
7
Boky
D
Francov
Hrubá pleš
E
Hrubá pleš
334
Urnový háj
D2
38
krematórium
7
Lamač
F
Hodonínska
Na barine
Plánky
Bakošova
G
Podháj
Studenohorská
Heyrovského
Havelkova
Stanekova
Podlesná
Podháj
18
7
Hodonínska
Podvornice
30;35;63
37;38;92

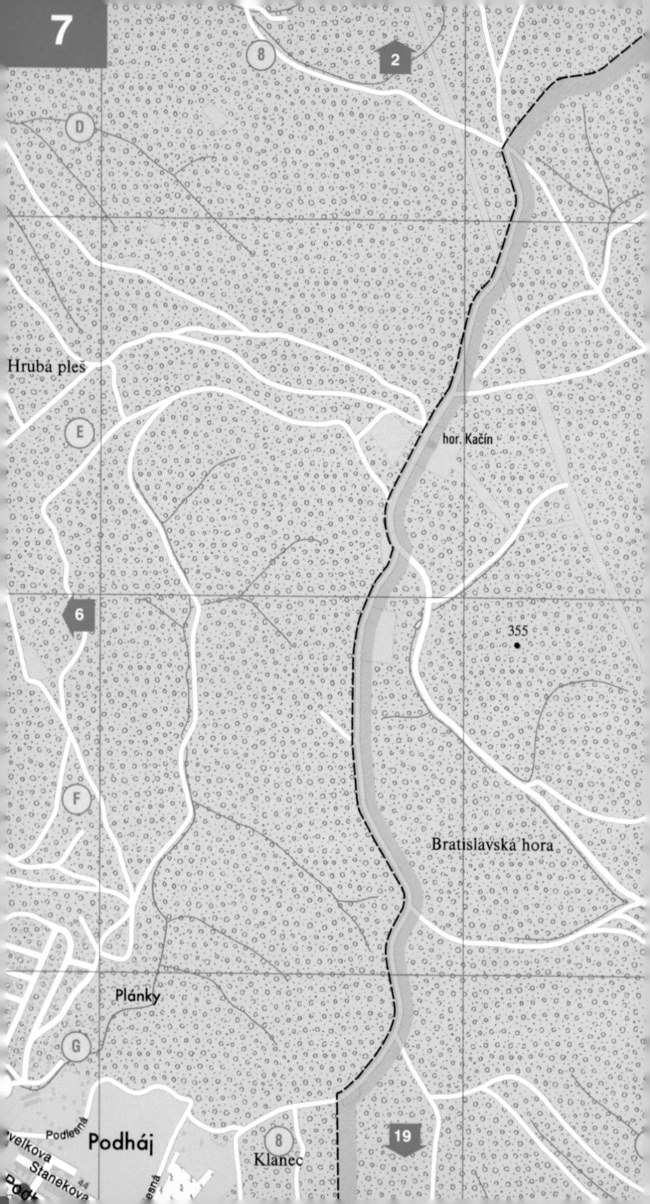
8
2
D
Hrubá pleš
E
hor. Kačín
6
355
F
Bratislavská hora
Plánky
G
Podlesná
Podháj
Stanekova
8
Klanec
19

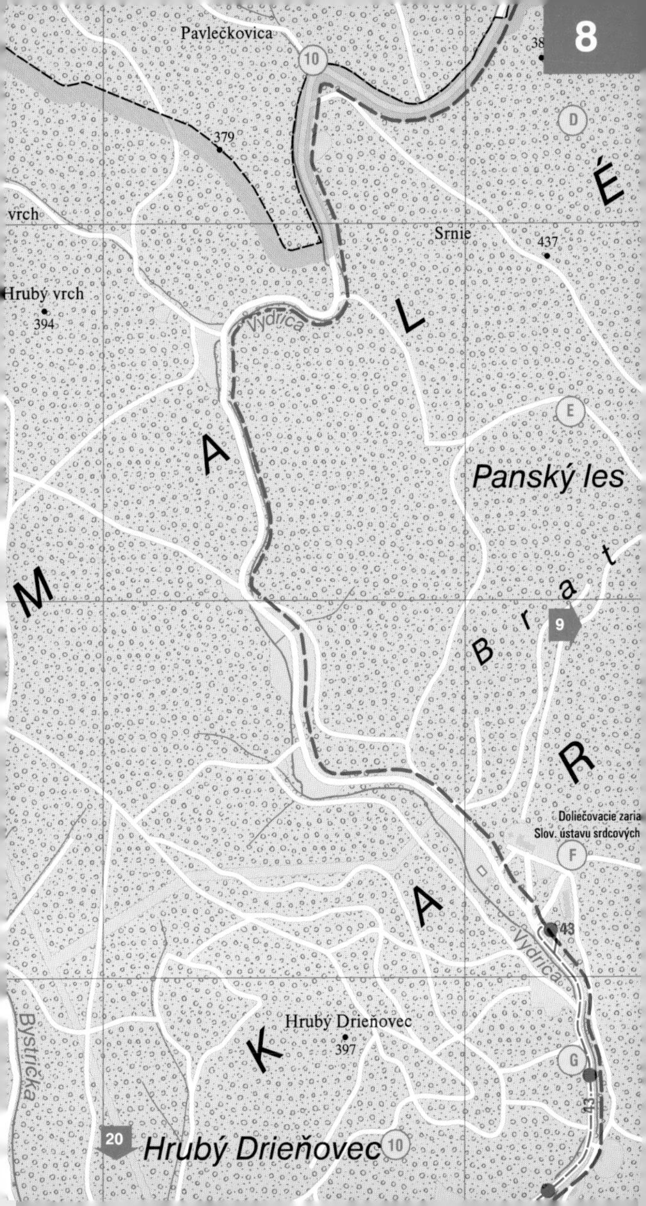
8
Pavlečkovica
10
38
D
379
É
vrch
Srnie
437
Hrubý vrch
394
Vydrica
L
E
A
Panský les
t
a
M
r
9
B
R
Doliečovacie zaria
Slov. ústavu srdcových
F
A
43
Vydrica
Bystrička
Hrubý Drieňovec
397
K
G
43
20
Hrubý Drieňovec
10

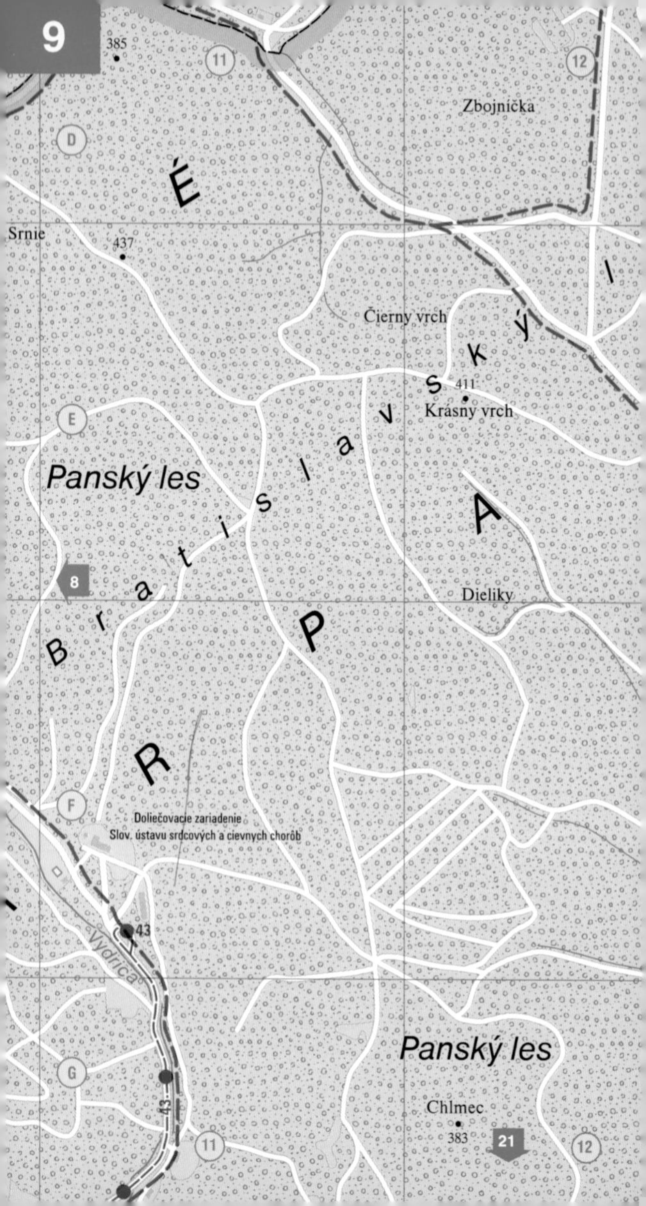
385
11
12
Zbojníčka
D
É
Srnie
437
Čierny vrch
I
ý
k
s
411
Krásny vrch
E
v
a
Panský les
l
s
A
i
t
8
a
Dieliky
r
B
P
R
F
Doliečovacie zariadenie
Slov. ústavu srdcových a cievnych chorôb
43
Vydrica
Panský les
G
43
Chlmec
383
21
11
12

Suchá hora
Malá Baňa
364
Saurisle
Pekná cesta
330
Stupavská
RAČA
Longtále
Vtáčikova cesta
Račiansky potok
Pekná cesta
Krasňany
Kadnárova
Vrbenského
Jozefa
Hagarova
Zlatá
Modrý chodník
Červená
Alstrova

11
22

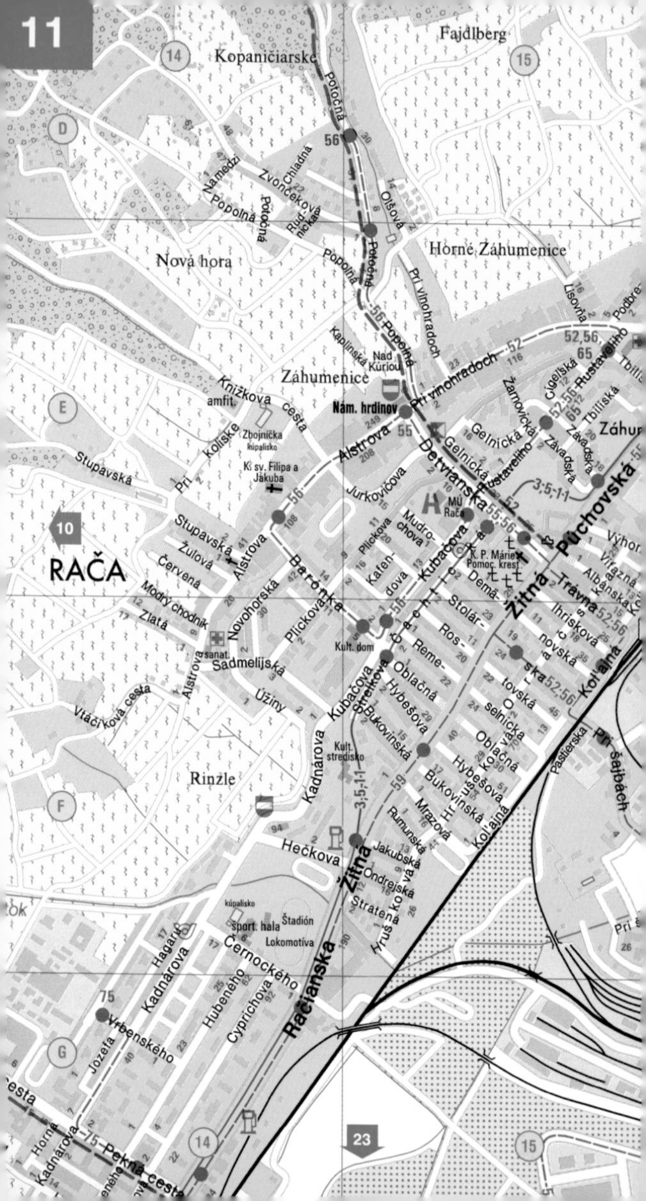

11
Fajdlberg
Kopaničiarske
14
15
D
E
F
G
Potočná
Namedzi
Zvončeková
Chladná
Popolná
Rudnícka
Olšová
Nová hora
Horné Záhumenice
Lisovňa
Podbrezová
Kaplinská
Nad Kúriou
Pri vinohradoch
Záhumenice
Knižkova cesta
amfit.
Nám. hrdinov
Zbojnícka kúpalisko
K. sv. Filipa a Jakuba
Pri Kolibe
Stupavská
Alstrova
Jurkovičova
Detvianska
Gelnická
Žarnovická
Cigeľská
Rustaveliho
Tbiliská
Závadská
Púchovská
MÚ Rača
Mudrochova
Plickova
Kafendova
Kubačova
Čachtická
K. P. Márie Pomoc. kresť.
10
RAČA
Žulová
Červená
Modrý chodník
Zlatá
Novohorská
Barónka
Kult. dom
sanat.
Sadmelijská
Úžiny
Strelkova
Oblačná
Hybešova
Bukovinská
Remeselnícka
Rostovská
Demänovská
Stolárska
Žitná
Trávna
Albánska
Ihriskova
Vírazná
Oravská
Koľajná
Pastierska
Pri šajbách
Vtáčikova cesta
Rinzle
Kadnárova
Kult. stredisko
Hečkova
Mrazová
Rumunská
Jakubská
Ondrejská
Hruškova
Stratená
kúpalisko
sport. hala
Štadión Lokomotíva
Hagarova
Černockého
Hubeného
Cyprichova
Račianska
Vrbenského
Jozefa
Horná
Pekná cesta
75
23

Krivé
Široké
Pod vinohradmi
Drozdy
Komisárky
Pri vinohradoch
Karpatské nám.
Púchovská
Rybničná
Na Pántoch
Pánty
Kozliny
Pri maj
Spodné šajby
Račiansky potok
Horné Šajby
Východné
Ministerstvo vnútra SR
Sklabinská
Pri šajbách
Dopravná
Východná
Šúrska
Na pasekách
Paseky
Bratislava-východ
va-Rača
ohospodárske družstvo
55,59,65
55,59
3,5,11
52,54,56
54,56
13
24

Šprinclové
17
18
D
Rybničná
Na Pántoch
Struha
65
61
57
E
Pri majeri
Na Válku
Kozliny
131
12
Vojenský útvar
Dlhé
Pod Válkom
43
F
orné Šajby
133
Uhliská
Dorastenecká
Roľ
Uhliská
53;54;65
Tomanova
Zbrody
Tibenského
Pri starom letisku
Športové letisko
Vajnory
G
54;56
17
Východná
25
18
53;56;65
Šuty
Príjazdná

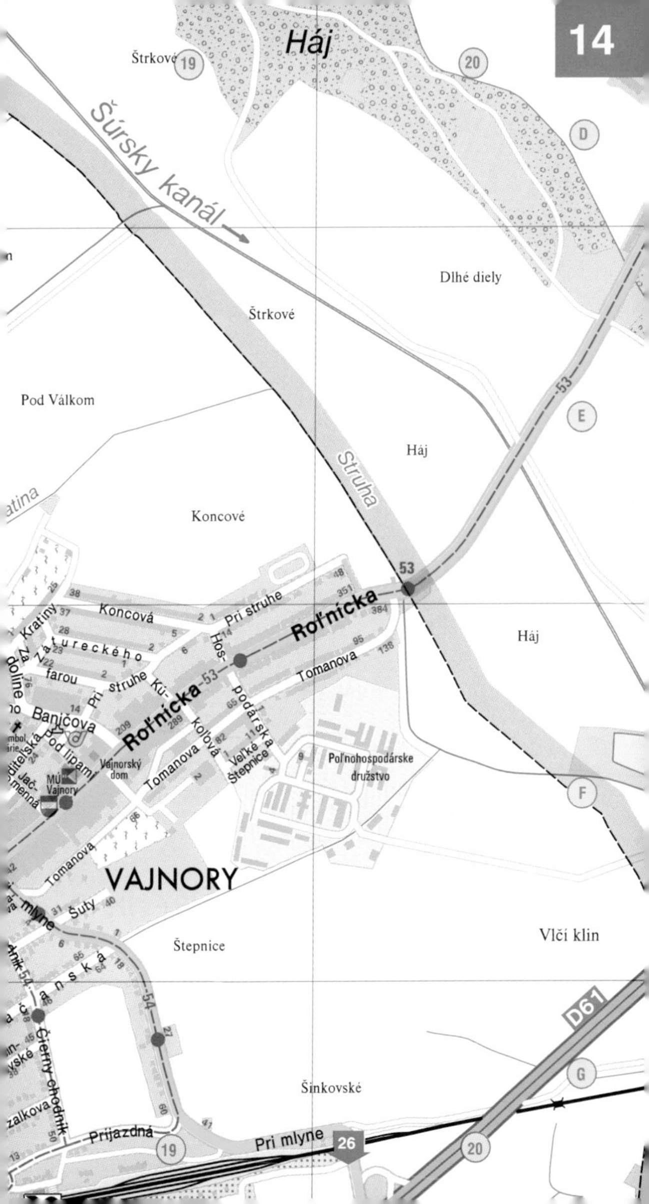

Háj
Štrkové
Šúrsky kanál
Dlhé diely
Štrkové
Pod Válkom
Háj
Struha
Koncové
53
Háj
Koncová
Pri struhe
Roľnícka
Kratiny
Za turečkého
Za farou
Hos-podárska
Tomanova
Pri struhe
Roľnícka
Kú-kolová
Baničova
Pod lipami
Vajnorský dom
MÚ Vajnory
Veľké Štepnice
Poľnohospodárske družstvo
Tomanova
Tomanova
VAJNORY
Šuty
Štepnice
Vlčí klin
D61
Čierny chodník
Šinkovské
Prijazdná
Pri mlyne
26

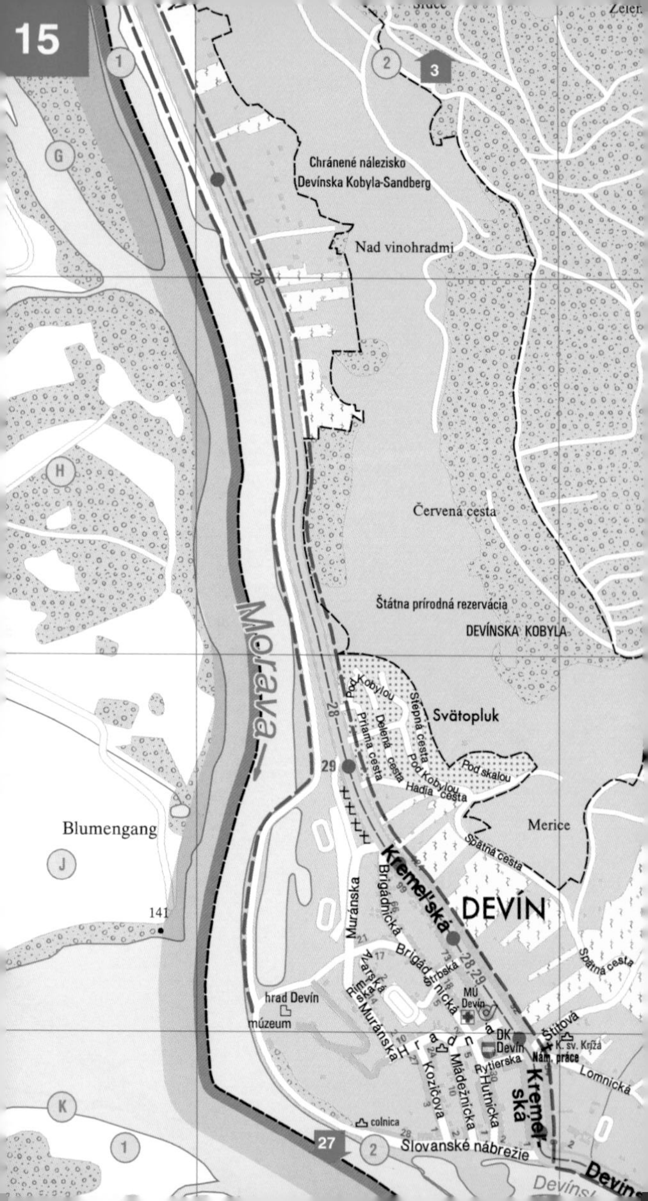

3
Chránené nálezisko
Devínska Kobyla-Sandberg
Nad vinohradmi
Červená cesta
Štátna prírodná rezervácia
DEVÍNSKA KOBYLA
Morava
Svätopluk
Pod Kobylou
Stepná cesta
Priama cesta
Delená cesta
Pod Kobylou
Hadia cesta
Pod skalou
Merice
Spätná cesta
Blumengang
141
Kremeľská
DEVÍN
Muránska
Brigádnická
Brigádnická
Štrbská
Rímska
Muránska
hrad Devín
múzeum
MÚ Devín
DK Devín
Štítová
K. sv. Kríža
Nám. práce
Hradná
Kozičova
Mládežnícka
Rytierska
Hutnícka
Kremeľská
Lomnická
colnica
Spätná cesta
27
Slovanské nábrežie
Devínska

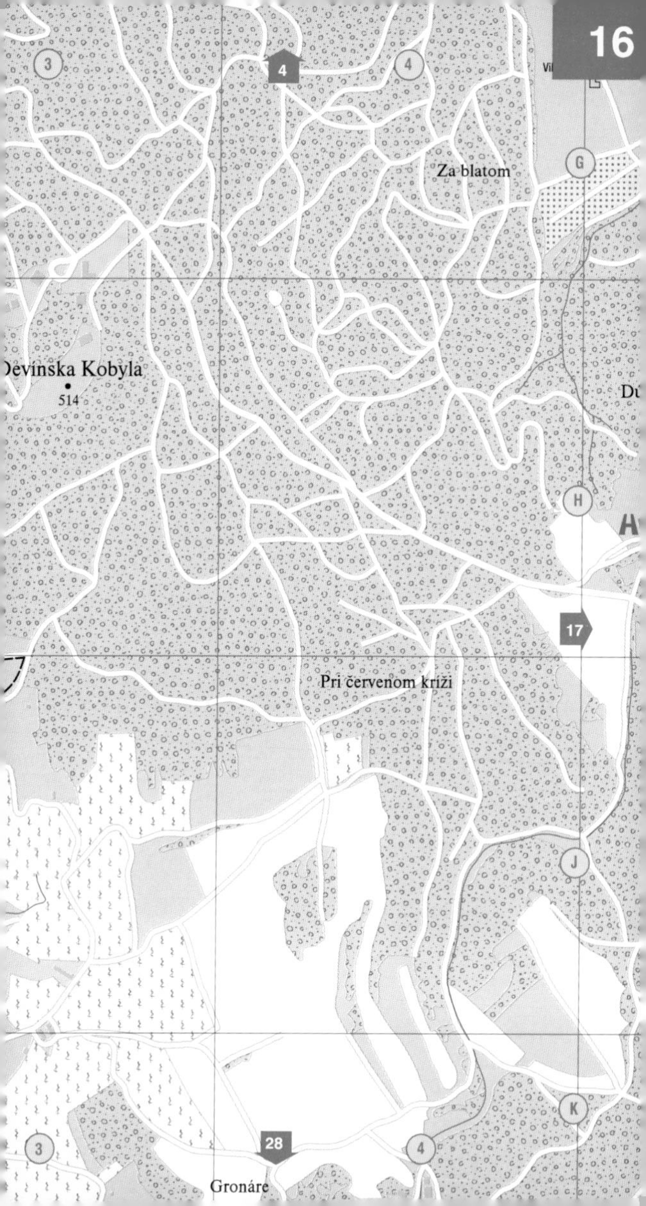

3
4
4
Za blatom
G
Devínska Kobyla
514
H
17
Pri červenom kríži
J
K
3
28
4
Gronáre

17
Villa rustica
Za blatom
Dúbravská hlavica
356
Švábsky vrch
367
DÚBRAVKA
Tavárikova osada
333
K. sv. Kozmu a Damiána
K Horárskej studni
Cabanova
Tranovského
Homolova
Pri kríži
Gallayova
Ožvoldíkova
Popovova
Brižitská
Čiernohorská
Žatevná
Štepná
Novodvorská
Jadranská
Oskorušová
Pod záhradami
Tulipánová
Vendelínska
Dolinského
Koprivnická
Strmé sady
Pekníkova
Karola Adlera
Plachého
Tavárikova
MÚ Dúbravka
83

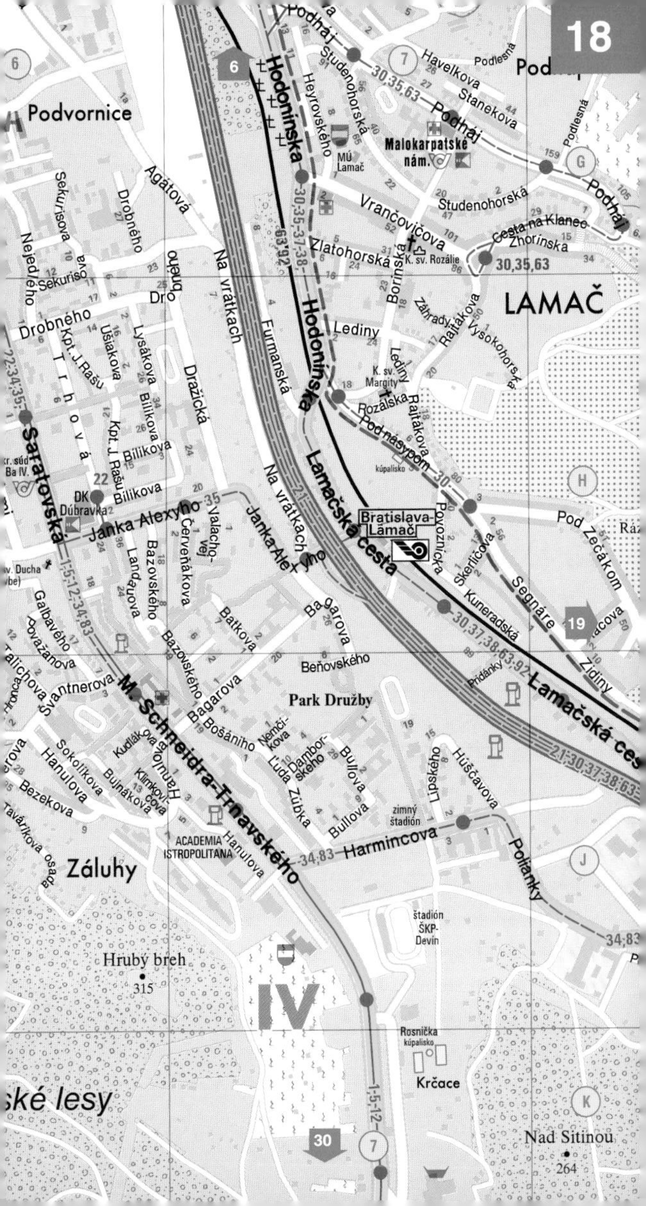

Podhaj
Podvornice
Havelkova
Podlesná
Stanekova
Studenohorská
Heyrovského
Hodonínska
MÚ Lamač
Malokarpatské nám.
Agátová
Sekurisova
Drobného
Nejedlého
Vrančovičova
Studenohorská
Cesta na Klanec
Zhorínska
30,35,63
Zlatohorská
K. sv. Rozálie
Borinská
Na vrátkach
Furmanská
LAMAČ
Záhrady
Rajtákova
Vysokohorská
Lediny
Drobného
Kpt. J. Rašu
Ušiakova
Lysákova
Dražická
Trhová
Bílikova
K. sv. Margity
Rozálska
Pod násypom
kúpalisko
Saratovská
Lamačská cesta
Bílikova
DK Dúbravka
Janka Alexyho
Valachovej
Červeňákova
Bazovského
Landauova
Bratislava-Lamač
Povoznícka
Skerličova
Pod Zečákom
Segnáre
Kuneradská
Galbavého
Považanova
Batkova
Bagarova
Beňovského
Pridánky
Lamačská cesta
Zidiny
Švantnerova
Talichova
M. Schneidra-Trnavského
Bazovského
Park Družby
Bošániho
Nemčíkova
Ľuda Zúbka
Damborského
Bullova
Hanulova
Sokolíkova
Bujnákova
Klimkovičova
Kudlákova
Bezekova
Lipského
Húščavova
zimný štadión
Harmincova
Polianky
ACADEMIA ISTROPOLITANA
Hanulova
Tavárikova osada
Záluhy
štadión ŠKP-Devín
Hrubý breh
315
IV
Rosnička kúpalisko
Krčace
ské lesy
Nad Sitinou
264

Podháj
Staneková
Podlesná
Klanec
Podháj
Studenohorská
Cesta na Klanec
Zhorínska
30,35,63
LAMAČ
Cesta na Klanec
Vysokohorská
Lesy
Pod Zečákom
Rázsochy
Skerličova
Segnáre
Kuneradská
Rácova
Zelenohorská
Pridánky
Zidiny
Lamačská cesta
21,30,37,38,63
Húščavova
Polianky
34,83
Polianky
Pod brehmi
Pod brehmi
Lamačská cesta
Dúbravská cesta
Zelenohorská
Ostružinový chodník
Ostružinový chodník
Mokrohájska
Cesta
Bratislava-Železná studienka
Vojenská nemocnica
49,212
Cesta na Červený Most
Kysucká
Partizánsk
Kysucká
21,30,34,37,38,63,83,92
Nad Sitinou
264
Sitina
31

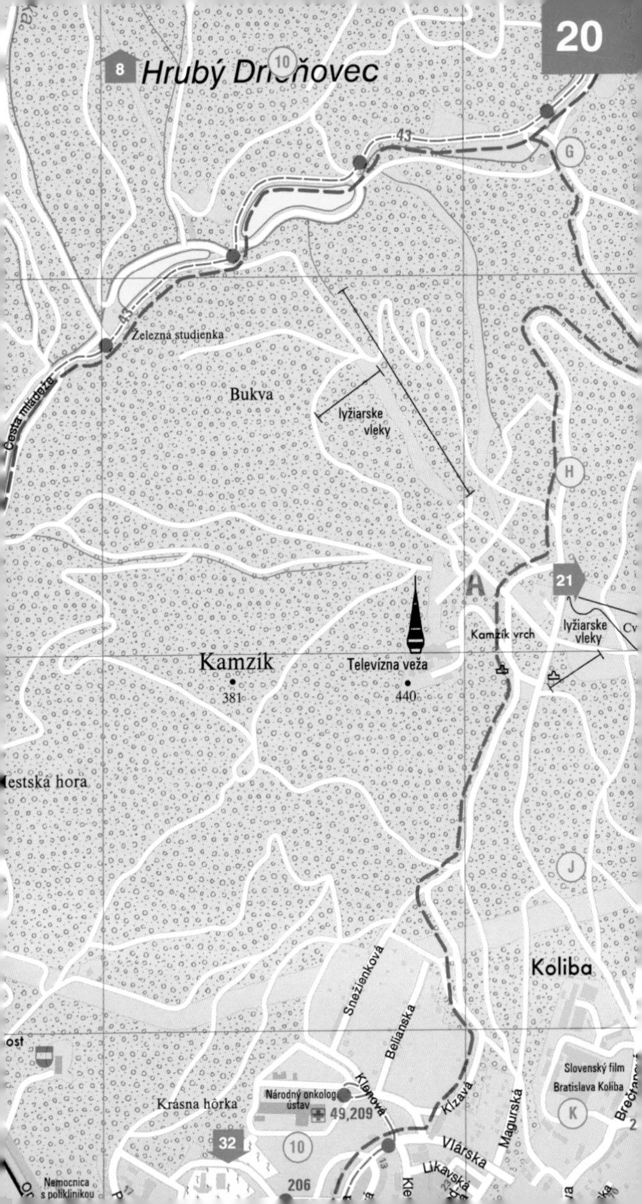

Hrubý Drieňovec
8
10
43
G
Železná studienka
Cesta mládeže
Bukva
lyžiarske
vleky
H
A
21
Kamzík vrch
lyžiarske
vleky
Kamzík
381
Televízna veža
440
Koliba
J
Snežienková
Belianska
Klenová
Klzavá
Magurská
Vlárska
Likavská
Národný onkologický ústav
49,209
Krásna hôrka
32
10
206
Nemocnica
s poliklinikou
Slovenský film
Bratislava Koliba
K

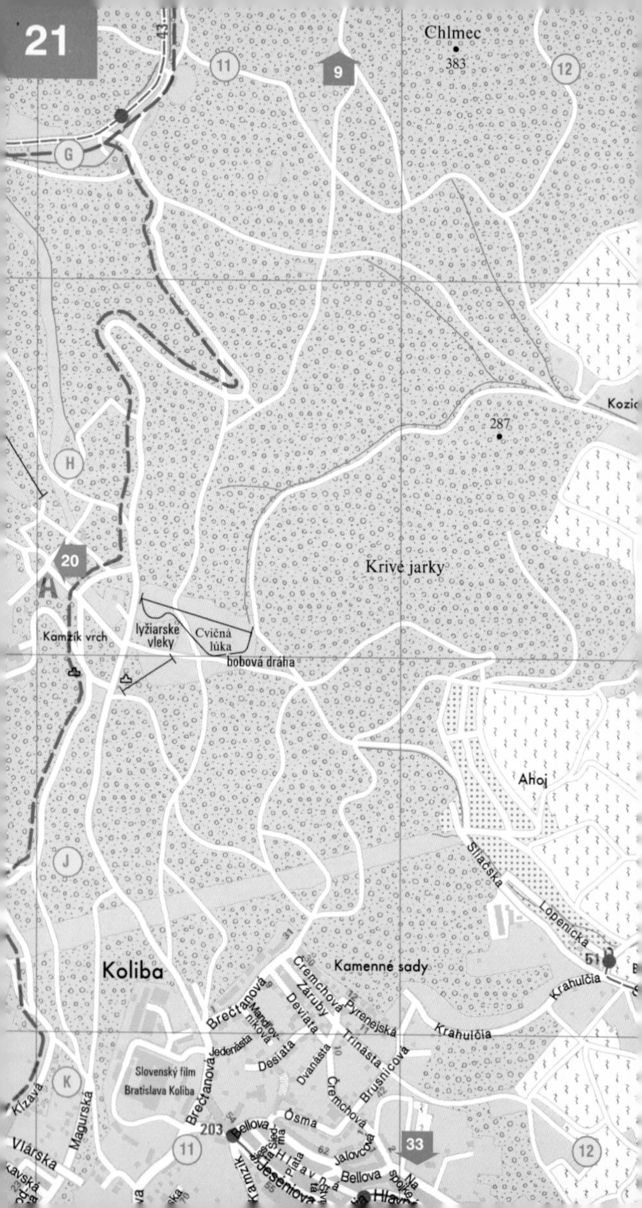

Chlmec
383
9
11
12
G
H
20
A
J
K
287
Kozic
Krivé jarky
Kamzík vrch
lyžiarske vleky
Cvičná lúka
bobová dráha
Ahoj
Sliačska
Lopenícka
Koliba
Kamenné sady
Krahulčia
Čremchová
Záruby
Deviata
Pyrenejská
Brečtanová
Mandľovníková
Jedenásta
Desiata
Dvanásta
Trinásta
Brusnicová
Slovenský film Bratislava Koliba
Kĺzavá
Magurská
Vlárska
Bellova
Ôsma
Jalovcová
Hlavná
Jeseniova
Na spojke
203
33

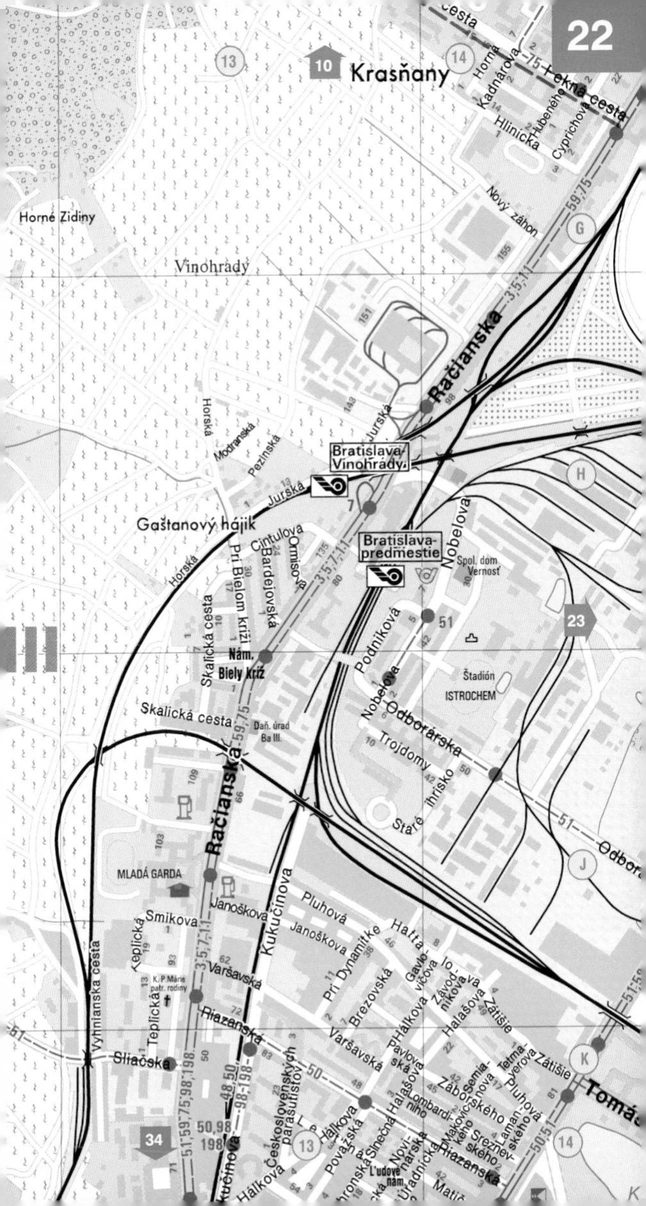

Krasňany
Horné Zidiny
Vinohrady
Horná
Kadnárova
Pekná cesta
Hlinícka
Hubeného
Cyprichova
Nový záhon
Račianska
Jurská
Horská
Modranská
Pezinská
Bratislava-Vinohrady
Gaštanový hájik
Cintulova
Ormisova
Bardejovská
Pri Bielom kríži
Skalická cesta
Nám. Biely kríž
Bratislava-predmestie
Nobelova
Spol. dom Vernosť
Podniková
Štadión
ISTROCHEM
Odborárska
Trojdomy
Staré ihrisko
Daň. úrad Ba III.
MLADÁ GARDA
Janoškova
Smikova
Kukučínova
Pluhová
Pri Dynamitke
Hattalova
Gavlovičova
Závodníkova
Halašova
Zátišie
Teplická
K. P. Márie patr. rodiny
Varšavská
Riazanská
Vajnorská cesta
Sliačska
Brezovská
Hálkova
Pavlovská
Záborského
Lombardiniho
Semianova
Tetmayerova
Pluhová
Tomá
Československých parašutistov
Považská
Sinečná
Novinárska
Úradnícka
Srežnevského
Lamanského
Makovického
Ľudové nám.
Matič
Odbor

23
Pekná cesta
Kadná
Hubeného
Cyprichova
Hlinícka
Nový záhon
Račianska
Šešlochty
Žabí majer
Bojnická
Nobelova
Spol. dom Vernosť
Štadión ISTROCHEM
ISTROCHEM
Odborárska
Vajnorská
Magnetová
Turbínová
Pri dvore
Olbrachtova
Tylova
Chemická
Vihorlatská
Elektárenská
Za stanicou
Zátišie
Tomášikova
Bratislava-Nové Mesto
Kuchajda
Jurajo
Mier
11
22
35
14
15
G
H
J
K
57,85

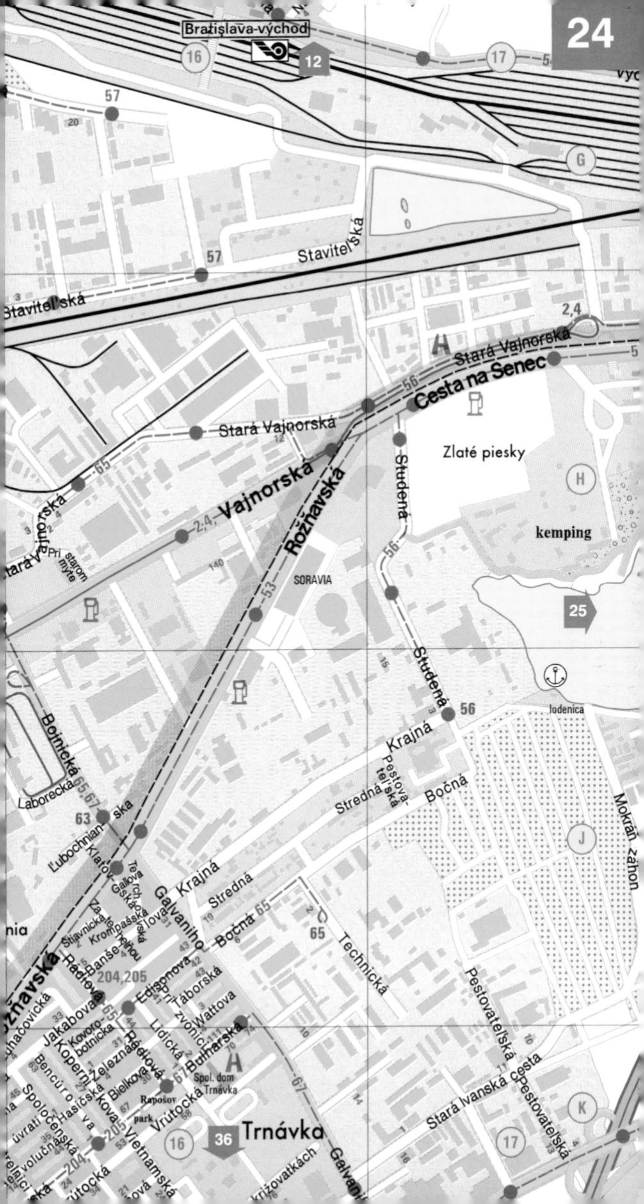
Bratislava-východ
Stavitel'ská
Stará Vajnorská
Cesta na Senec
Vajnorská
Rožňavská
Studená
Zlaté piesky
kemping
SORAVIA
Pri starom myte
lodenica
Krajná
Stredná
Bočná
Pestovateľská
Mokráň záhon
Bojnická
Laborecká
Ľubochnianska
Klatovská
Galvaniho
Technická
Stará Ivanská cesta
Edisonova
Táborská
Wattova
Bulharská
Lidická
Rádiová
Jakabova
Koperníkova
Železná
Bielkova
Vrútocká
Vietnamská
Spoločenská
Hasičská
Benčúrova
Raposov park
Spol. dom Trnávka
Trnávka
Na križovatkách

Východná
54;56
17
13
18
Šuty
53;56;65
Príjazdná
Príjazdná
G
Tuhovské
2,4
Stará Vajnorská
cesta na Senec
53;56;65
Zlaté piesky
H
kúp.
kemping
Zlaté piesky
24
lodenica
56
Fafruny
Mokráň záhon
J
Pestovateľská
Pestovateľská
Ivanská cesta
Ivanská cesta
K
61
17
37
18
61
pomník
Štefana Baniča
colnica
Letisko
32
10
11
13
3
6

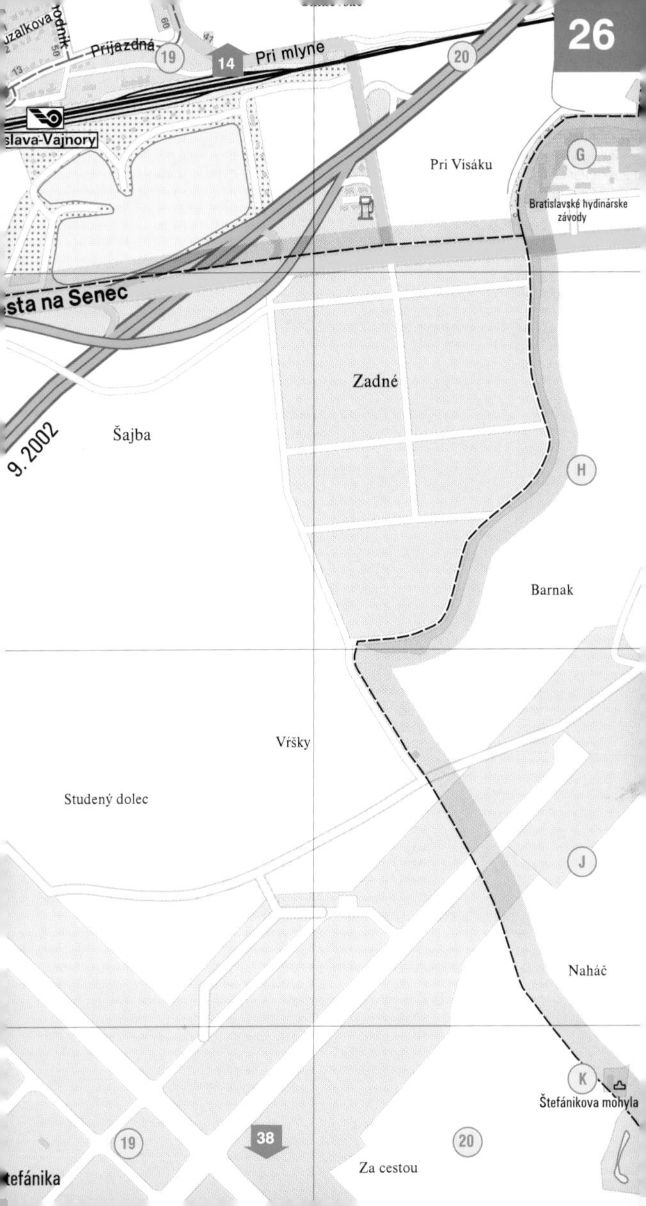

zalkova
odník
Prijazdná
19
14
Pri mlyne
20
slava-Vajnory
Pri Visáku
G
Bratislavské hydinárske závody
sta na Senec
Zadné
9.2002
Šajba
H
Barnak
Vŕšky
Studený dolec
J
Naháč
K
Štefánikova mohyla
19
38
20
Za cestou
tefánika

1
2
15
colnica
Slovanské nábrežie
Devínske rameno
K
141
A
Augel
Jägerhaus-Siedlung
Auglarm
L
M
N
1
2

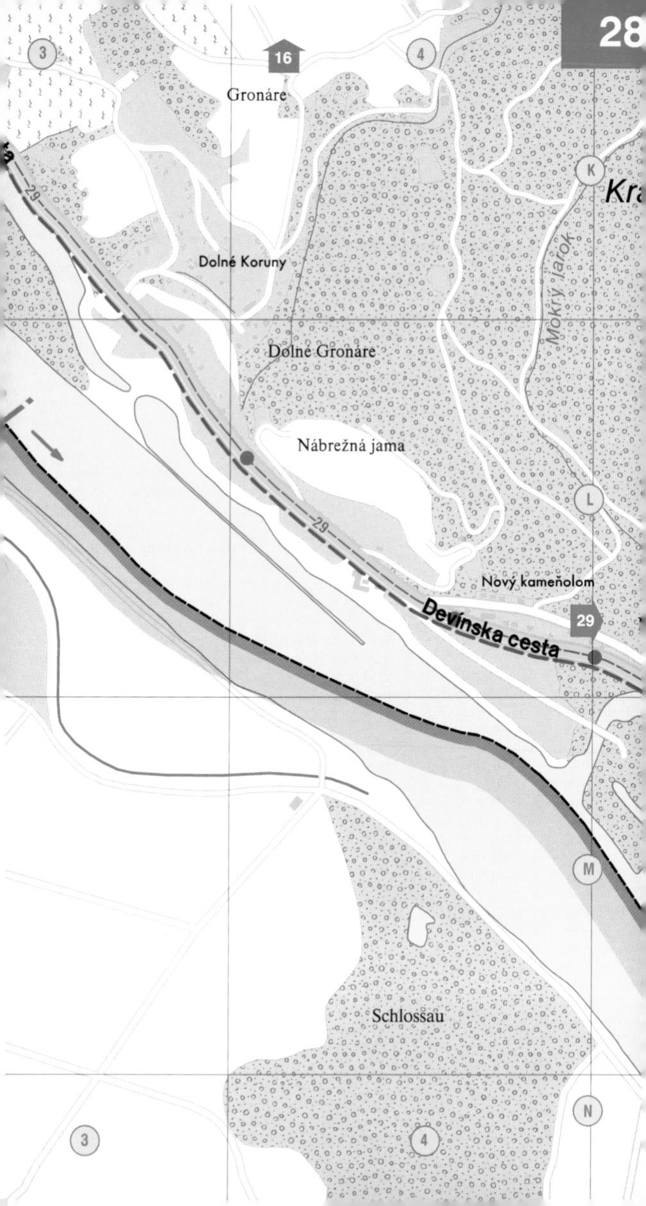

3
16
4
Gronáre
K
Kra
29
Dolné Koruny
Mokrý Jarok
Dolné Gronáre
Nábrežná jama
29
L
Nový kameňolom
Devínska cesta
29
M
Schlossau
3
4
N

29
Je
5
17
K
Kráľova hora
Mokrý jarok
320
L
Nový kameňolom
ínska cesta
Mokrá jama
28
Zlaté schody
29
M
Sihot
N
5

ské lesy
18
7
IUVENTA
Karloveská
Líščie údolie
KARLOVA VES
Šaštínska
Sološnícka
Kuklovská
Sekulská
Púpavová
Pustá
Zohorská
Borská
Kútiky
Levárska
Silvánska
Brodská
Suchohradská
Pernecká
K.sv. Františka
Kráľov vrch
282
Lackova
Svíbová
Nad lúčkami
Beniakova
F.Kostku
Fadruszova
Kempelenova
Pod Donnerova
Rovníčkami
Tilgnerova
Segnerova
31
Majerníkova
Veternicová
Hlaváčikova
K. Narodenia P. Márie
Ľudovíta Fullu
Jána Stanislava
Pribišova
Dlhé diely
Dlhé diely III
Dlhé diely II
Dlhé diely I
Tománkova
Baníkova
Hodálova
Novackého
Adámiho
Hany Meličkovej
Kolískova
Matejkova
Jamnického
Hudecova
Janotova
Gabčíkova
Devínska cesta
Nad
264
6
7
K
L
M
N

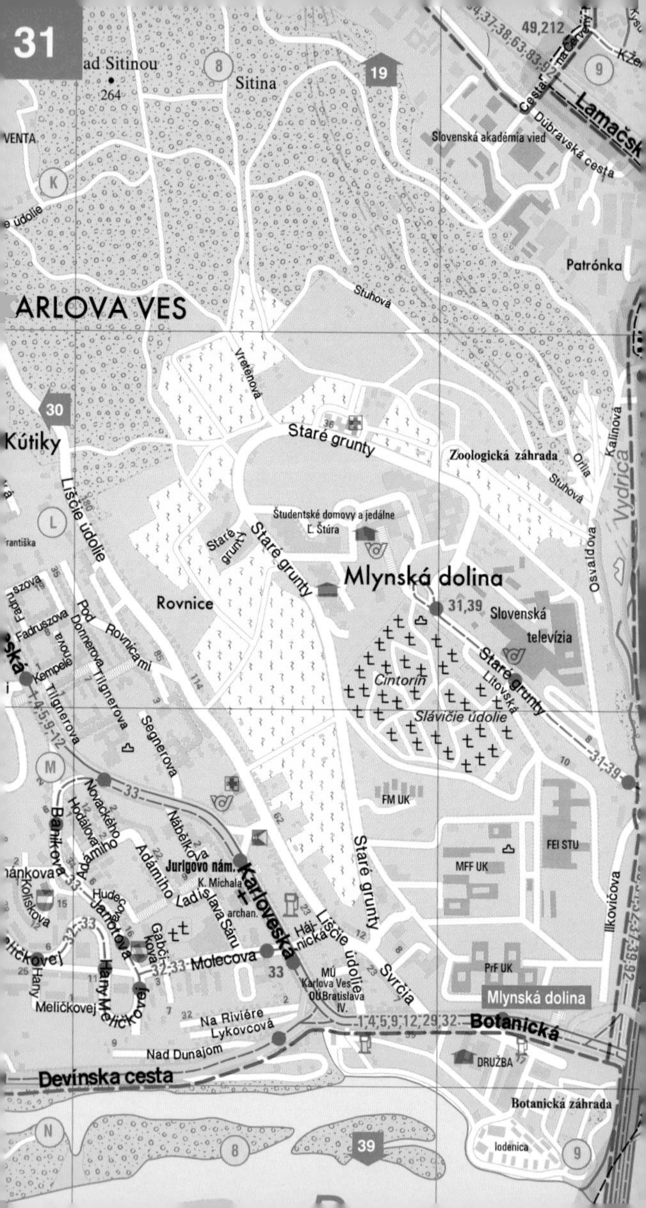
ad Sitinou
264
Sitina
8
19
49,212
9
Lamačsk
Cesta na Červený
Slovenská akadémia vied
Dúbravská cesta
VENTA
K
údolie
Patrónka
KARLOVA VES
Stuhová
Vretenová
30
Kútiky
Staré grunty
Zoologická záhrada
Orlia
Stuhová
Kalinová
Vydrica
L
Lišcie údolie
Študentské domovy a jedálne
Ľ. Štúra
Staré grunty
Osvaldova
Mlynská dolina
31,39
Slovenská
televízia
Rovnice
Fadruszova
Pod Rovnicami
Donnerova
Kempelenova
Tilgnerova
Cintorín
Slávičie údolie
Litovská
Segnerova
M
33
Novackého
Hodálova
Baníkova
Adámiho
Nábělkova
FM UK
FEI STU
MFF UK
Jurigovo nám.
K. Michala
archan.
Karloveská
Ladislava Sáru
Janotova
Hudecova
Gabčíkova
Molecova
Hájnická
Lišcie údolie
Staré grunty
Ilkovičova
Svrčia
PrF UK
Mlynská dolina
MÚ Karlova Ves
OÚ Bratislava IV.
Hany Meličkovej
Na Riviére
Lykovcová
Botanická
1,4,5,9,12,29,32.
DRUŽBA
Nad Dunajom
Devínska cesta
Botanická záhrada
N
8
39
lodenica
9

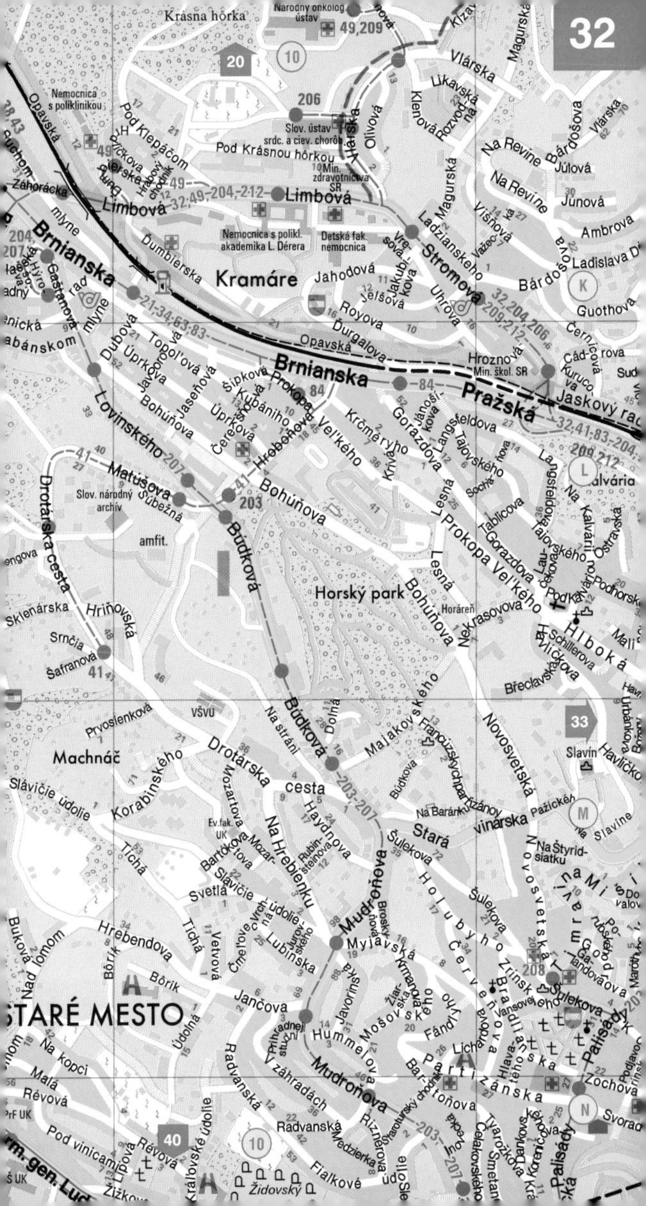

32
Krásna hôrka
Národný onkolog. ústav
Nemocnica s poliklinikou
Slov. ústav srdc. a ciev. chorôb
Pod Krásnou hôrkou
Min. zdravotníctva SR
Limbová
Nemocnica s polikl. akademika L. Dérera
Detská fak. nemocnica
Kramáre
Brnianska
Opavská
Pražská
Stromova
Hroznová
Min. škol. SR
Jaskový rad
Lovinského
Matušova
Slov. národný archív
amfit.
Búdková
Bohúňova
Horský park
Horáreň
Prokopa Veľkého
Drotárska cesta
Hriňovská
VŠVU
Machnáč
Slávičie údolie
Korabinského
Mudroňova
Novosvetská
Stará vinárska
Na Baránku
Francúzskych partizánov
Majakovského
Holubyho
Šulekova
Palisády
Zochova
Partizánska
Slavín
STARÉ MESTO
Radvanská
Židovský
Fialkové údolie
Hrebendova
Bôrik
Nad lomom
Na kopci
Révová
Pod vinicami
Lipová
Žižkova
33
40
20

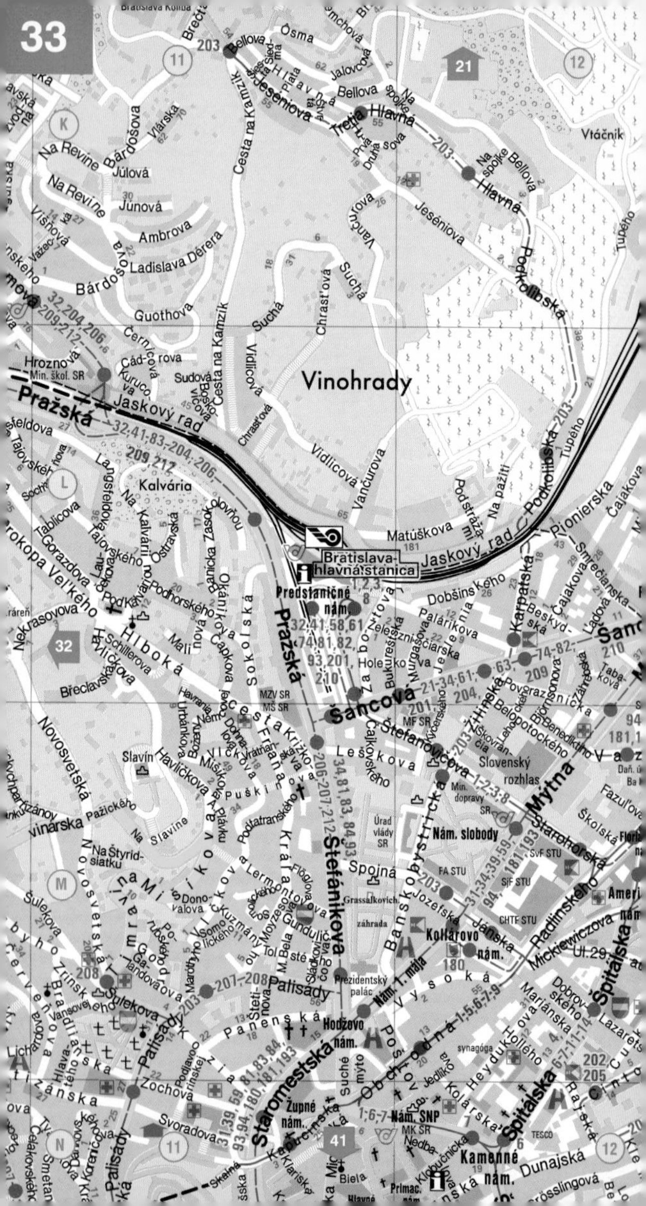
Bratislava Koliba
Brečtanová
203
Bellova
Ôsma
Jemchová
11
21
12
K
Na Revíne
Bárdošova
Vlárska
Júlová
Júnová
Višňová
Važecká
Ambrova
Ladislava Dérera
Bárdošova
Guothova
Černicova
Cád-rova
Kuruc-ova
Hroznová
Min. škol. SR
Sudová
Boskovičova
Cesta na Kamzík
Jeséniova
Hlavná
Tretia
Bellova
Jalovcová
Na spojke
Prvá
Druhá
Sova
Na spojke Bellova
Vtáčnik
Vančurova
Jeséniova
Podkolibská
Tupého
Suchá
Chrasťová
Vidlicová
Vinohrady
Pražská
Jaskový rad
32,41,83,204,206,
209,212
32,204,206,
209,212
L
Kalvária
Langsfeldova
Tajovského
Sochorňova
Tablicova
Na Kalvárii
Ostravská
Zaťková
Banícka
Okánikova
Vladimírova
Prokopa Veľkého
Gorazdova
Lau-čekova
Podkalvária
Podhorského
Malí
Nová
Čapkova
Sokolská
Pražská
Matúškova
Podstráže
Na pažiti
Podkolibská
Pionierska
Čajakova
Jaskový rad
Bratislava-hlavná stanica
Predstaničné nám.
1,2,3,8
32,41,58,61
74,81,82,
93,201,
210
Železničiarska
Bukurešťská
Murgašova
Palárikova
Jelenia
Dobšinského
Karpatská
Beskydská
Smrečianska
Ľadová
Šancová
Holekova
Za bolonóvkou
21-34-61
63
74-82
209
210
201
204
Šancová
MZV SR
MŠ SR
Nekrasovova
32
Hlboká
Schillerova
Havlíčkova
Břeclavská
Cesta
Havranská
Urbánkova
Boženy Němcovej
Donova
Vlčkova
Križkova
Frana Kráľa
Puškinova
Štefánikova
206-207-212
34,81,83,84,93
Lešková
Čajkovského
MF SR
Štefanovičova
Kýčerského
Žilinská
Povraznícka
Belopotockého
Lehotského
Škovránčia
Benediktiho
Björnsonova
Záhradnícka
Tabaková
Slovenský rozhlas
Mýtna
Vazovova
Daň. úrad
Fazuľova
Školská
Novosvetská
Slavín
Havlíčkova
Mišíkova
Pažického
Na Slavíne
Na Štyridsiatku
Podtatranského
Úrad vlády SR
Min. dopravy SR
Nám. slobody
Banskobystrická
1-2-3-8
Starohorská
SvF STU
SjF STU
FA STU
203
31-34-39-59
94-181-193
Radlinského
Mickiewiczova
Amerika
M
Šulekova
Mišíkova
Timravina
Dono-valova
Kuzmányho
Somolického
Lermontova
Moyzesova
Gundulićova
Fláglova
Grassalkovich. záhrada
Spojná
Jozefská
Jánska
CHTF STU
Kollárovo nám.
180
Ul. 29. augusta
Spitálska
Dobrovského
Lazaretská
Goodrova
Ga-landova
Maróthyho
M. Bela
Toľstého
Sládkovičova
Štetinova
Palisády
207-208
203
Prezidentský palác
Nám. 1. mája
Vysoká
Hodžovo nám.
Panenská
Poštová
Obchodná
1-5-6-7-9
Mariánska
Heydukova
Hollého
synagóga
208
Šulekova
Zrinského
Bradlianska
Vansovej
Hlavatého
Palisády
Podjavorinskej
Zochova
Svoradova
Lichardova
Štúrova
Žižkova
N
Celakovského
Smetanova
Kozičova
Korenicova
Kapucínska
Staromestská
31,39,59,81,83,84,
93,94,180,181,193
Župné nám.
Suché mýto
1;6;7
Nám. SNP
41
MK SR
Nedbalova
Jedlíkova
Kolárska
Spitálska
TESCO
202
205
Rajská
Cintorínska
Kamenné nám.
Klobučnícka
Dunajská
Grösslingová
Biela
Primac. nám.
Hlavné
Skalná
Klariská
11
12
19
6

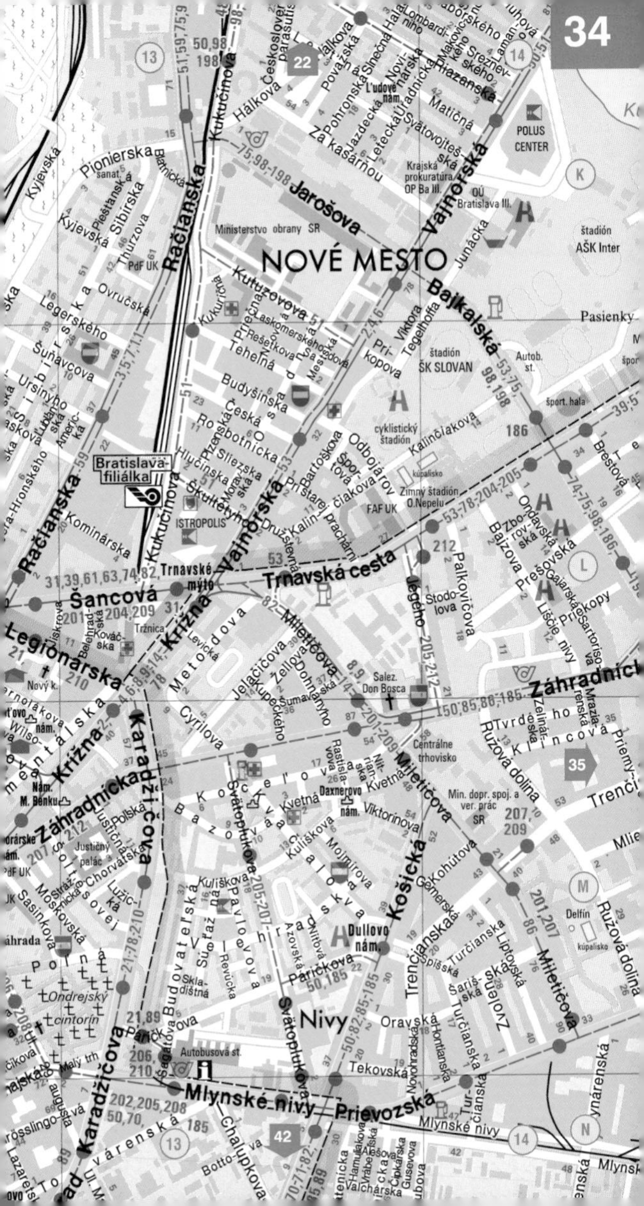
NOVÉ MESTO
Nivy
Račianska
Vajnorská
Jarošova
Bajkalská
Kukučínova
Trnavská cesta
Trnavské mýto
Šancová
Legionárska
Krížna
Karadžičova
Záhradnícka
Miletičova
Košická
Mlynské nivy
Prievozská
Pioniersky
Kyjevská
Piešťanská
Sibírska
Thurzova
Legerského
Ovručská
Šuňavcova
Ursínyho
Kominárska
Kutuzovova
Tehelná
Budyšínska
Česká
Robotnícka
Sliezska
Hlučínska
Škultétyho
Odbojárov
Kalinčiakova
Viktora Tegelhoffa
Prikopova
Palkovičova
Stodolova
Jégého
Bajzova
Prešovská
Zborovská
Ondavská
Brestová
Liščie nivy
Priekopy
Záhradnícka
Ružová dolina
Tvrdého
Klincová
Trenčianska
Metodova
Cyrilova
Jelačičova
Želova
Dohnányho
Kupeckého
Šumavská
Rastislavova
Nitrianska
Kvetná
Viktorínova
Bazová
Svätoplukova
Kulíškova
Mojmírova
Kochelova
Palovolgova
Súmračná
Budovateľská
Revúcka
Azovská
Nitrová
Páričkova
Oravská
Tekovská
Novohradská
Hontianska
Turčianska
Liptovská
Spišská
Šarišská
Zvolenská
Gemerská
Kohútova
Halkova
Povážská
Pohronská
Jazdecká
Letecká
Úradnícka
Za kasárňou
Svätovojtešská
Matičná
Riazanská
Junácka
Ministerstvo obrany SR
Krajská prokuratúra
OP Ba III.
OÚ Bratislava III.
POLUS CENTER
štadión AŠK Inter
štadión ŠK SLOVAN
Autob. st.
šport. hala
cyklistický štadión
kúpalisko
Zimný štadión O.Nepelu
FAF UK
PdF UK
Bratislava-filiálka
ISTROPOLIS
Tržnica
Salez. Don Bosca
Centrálne trhovisko
Min. dopr. spoj. a ver. prác SR
Daxnerovo nám.
Dullovo nám.
Delfín
Justičný palác
Nám. M. Benku
Ondrejský cintorín
Malý trh
Autobusová st.
Pasienky
Trenčianska
Mlynské nivy
Chalupkova
Továrenská
Karadžičova
Moskovská
Sasinkova
Poľná
Krížna
Kováčska
Belehradská
Jiskrova
Levická
13
14
22
35
42
K
L
M
N

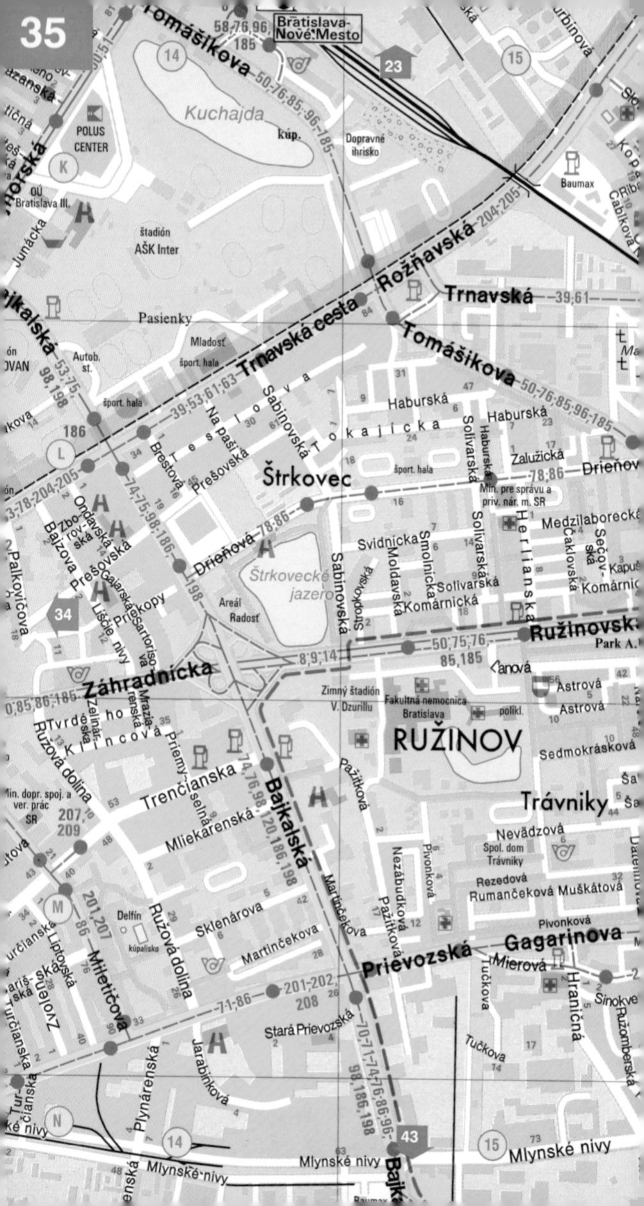
Bratislava-
Nové Mesto
Tomášikova
Kuchajda
kúp.
POLUS CENTER
Dopravné ihrisko
Baumax
OÚ Bratislava III.
štadión AŠK Inter
Junácka
Rožňavská
Trnavská
Trnavská cesta
Pasienky
Mladosť šport. hala
Autob. st.
šport. hala
Tomášikova
Haburská
Tokajícka
Teslova
Na pasekách
Sabinovská
Brestová
Prešovská
Solivarská
Zalužická
Drieňová
Štrkovec
šport. hala
Min. pre správu a priv. nár. m. SR
Herlianska
Medzilaborecká
Čaklovská
Sečovská
Kapušianska
Komárnická
Svidnícka
Smolnícka
Moldavská
Solivarská
Komárnická
Ondavská
Zborovská
Bajzova
Palkovičova
Prešovská
Gajárska
Sartorisova
Priekopy
Líščie nivy
Drieňová
Štrkovecké jazero
Areál Radosť
Sabinovská
Strojkovská
Ružinovská
Park A.
Záhradnícka
Čanová
Astrová
Astrová
Zimný štadión V. Dzurillu
Fakultná nemocnica Bratislava
poliklin.
RUŽINOV
Sedmokrásková
Tvrdého
Zelinárska
Mraziarenská
Klincová
Ružová dolina
Priemyselná
Trenčianska
Bajkalská
Pažítková
Trávniky
Nevädzová
Spol. dom Trávniky
Rezedová
Rumančeková
Muškátová
Pivonková
Nezábudková
Mliekárenská
Min. dopr. spoj. a ver. prác SR
Delfín kúpalisko
Ružová dolina
Sklenárova
Martinčekova
Martinčekova
Pažítková
Gagarinova
Prievozská
Mierová
Tučkova
Hraničná
Sinokvetná
Ružomberská
Miletičova
Liptovská
Šarišská
Zvolenská
Turčianska
Stará Prievozská
Jarabinková
Plynárenská
Tučkova
Mlynské nivy
Mlynské nivy
Mlynské nivy
Baumax

Trnávka
Rapošov park
Vrútocká
Vietnamská
Hasičská
Spoločenská
Tŕňová
Kašmírska
Kameniarska
Na križovatkách
Beckovská
Galvaniho
Stará Ivanská cesta
Pestovateľská
IKEA
Hypernova
9. 2002
Slowackého
Staničná
Nerudova
Kostol Don Bosca
Pavlovičova
Gašparíkova
Piesočná
Ivanská cesta
Vrakunská cesta
Vrakunská
Meteorová
Dr. Vladimíra Clementisa
Mesačná
Zimná
Stálicová
Sputniková
Poludníková
Planét
Uránová
Drieňová
Ostredská
Raketová
Galaktická
Súhvezdná
Astronomická
Obežná
Ostredky
Rovníková
Jaderná
Súmračná
Polárna
Západná
Družicová
OÚ Bratislava II.
Súmračná
Ružinovská
Exnárova
DK Ružinov
Papánkovo nám.
Jašíkova
Bachova
Štefunkova
Chlumeckého
Ivana Horvátha
Čmelíkova
Vavrínová
Štedrá
Mlynské luhy
Na piesku
Strojnícka
Mráza Šándorova
Andreja
Obilná
Pošeň
Borodáčova
Seberíniho
V. Figuša-Bystrého
Babuškova
Gregorovej
Bancíkovej
K. sv. Vincenta de Paul
Kostlivého
Petzvalova
Albrechtova
Podlučinského
Golá-ňova
Ondrejovova
Prúdová
Hrušovská
Marhuľová
Azalková
Tomášikova
Peterská
Martá-kovej
Mlynské luhy
Gagarinova
Slnečnicová
Egrešová
Ríbezľová
MÚ Ružinov
Okr.súd Ba II.
Mierová
Brodná
Radničné nám.
Ev. k.
Osvetová
Strojnícka
Štyndlova
Staré záhrady
Včelárska
Strukova
Parná
Kaštieľska
Čečinová
Sladová
Listová
Telocvičná
Hrachová
Prievoz
Spol. dom
Konopná
Slivková
Hríbová
Kľukatá
Orechový rad
Šťastná
TJ Rapid
Krásna
K. Božského srdca
Parková
Kláštorská
Rovná
Rebarborová
Laliová
Ružičková
Nem. s. pol. Milosrd. bratia
Bažantia
Jabloňová
Fibichova
Svslia
Nové

37
Ivanská
pomník Štefana Baniča
61
colnica
Letisk
25
17
18
IKEA
K
9. 2002
67;78;97
Vrakunská cesta
L
36
Na piesku
Strojnícka
Mlynské luhy
Stedrá
Na piesku
Hradská
Podpriehradná
Orgovánová
Čakanková
Prasličková
Orchideová
Platanová
Levanduľová
Priehradná
Priehradná
Brezová
M
Hrušovská
Marhuľová
Slnečnicová
Egrešová
Ríbezľová
Repíková
Repíková
Hrušovská
Cyprichová
Lesopark
Brezová
Vrakunský les
Brezová
Rebarborová
Rebarborová
Mierová
208
75;201;202
N
Hrachová
17
45
18
Cintorín Ružinov
208
Nové záhrady
Estónska

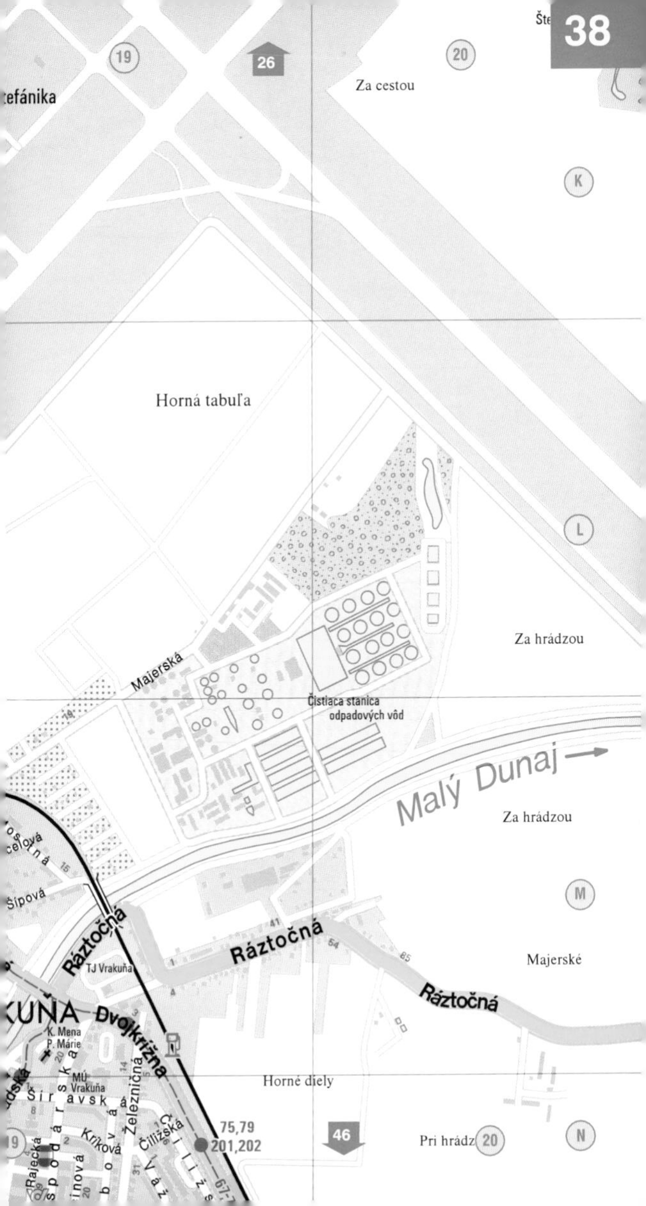
Za cestou
Horná tabuľa
Majerská
Čistiaca stanica
odpadových vôd
Za hrádzou
Malý Dunaj
Za hrádzou
Šípová
Ráztočná
Ráztočná
Ráztočná
Ráztočná
TJ Vrakuňa
Majerské
Dvojkrížna
K. Mena
P. Márie
MÚ
Vrakuňa
Širavská
Železničná
Kríková
Čilizská
Horné diely
75,79
201,202
Pri hrádzi

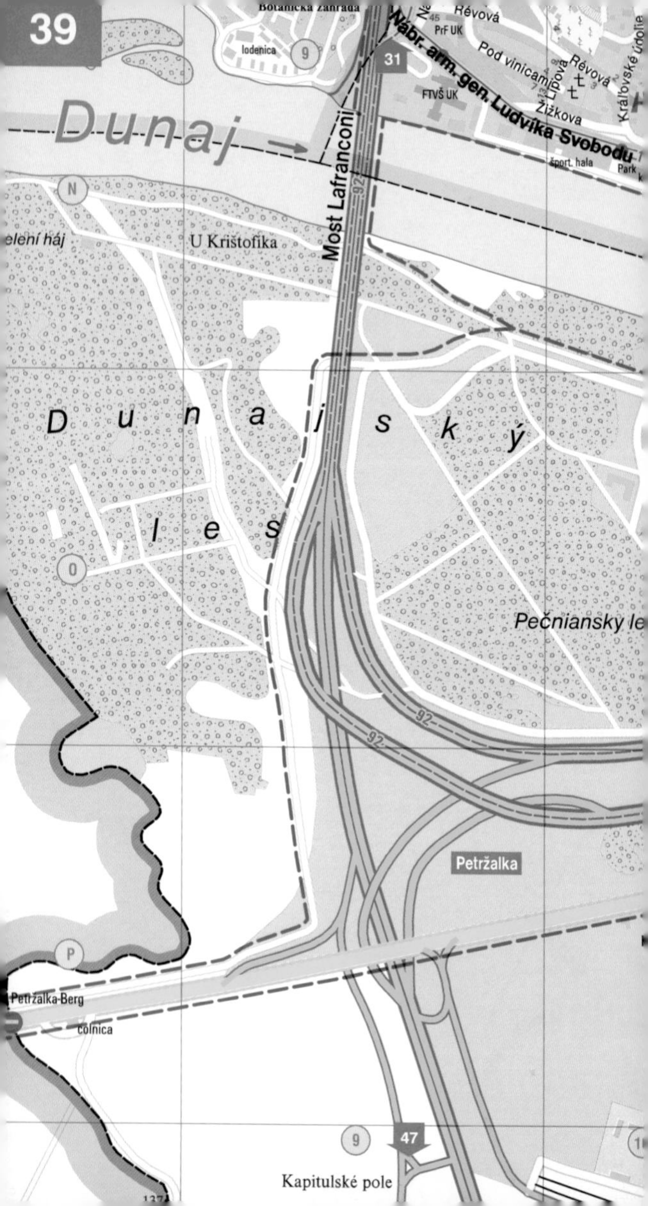
Botanická záhrada
lodenica
9
Révová
PrF UK
31
Nábr. arm. gen. Ludvíka Svobodu
Pod vinicami
Lipová
Révová
Kráľovské údolie
FTVŠ UK
Žižkova
Dunaj
Most Lafranconi
92
šport. hala
Park
N
elení háj
U Krištofíka
Dunajský les
O
Pečniansky le
92
92
Petržalka
P
Petržalka-Berg
colnica
9
47
Kapitulské pole

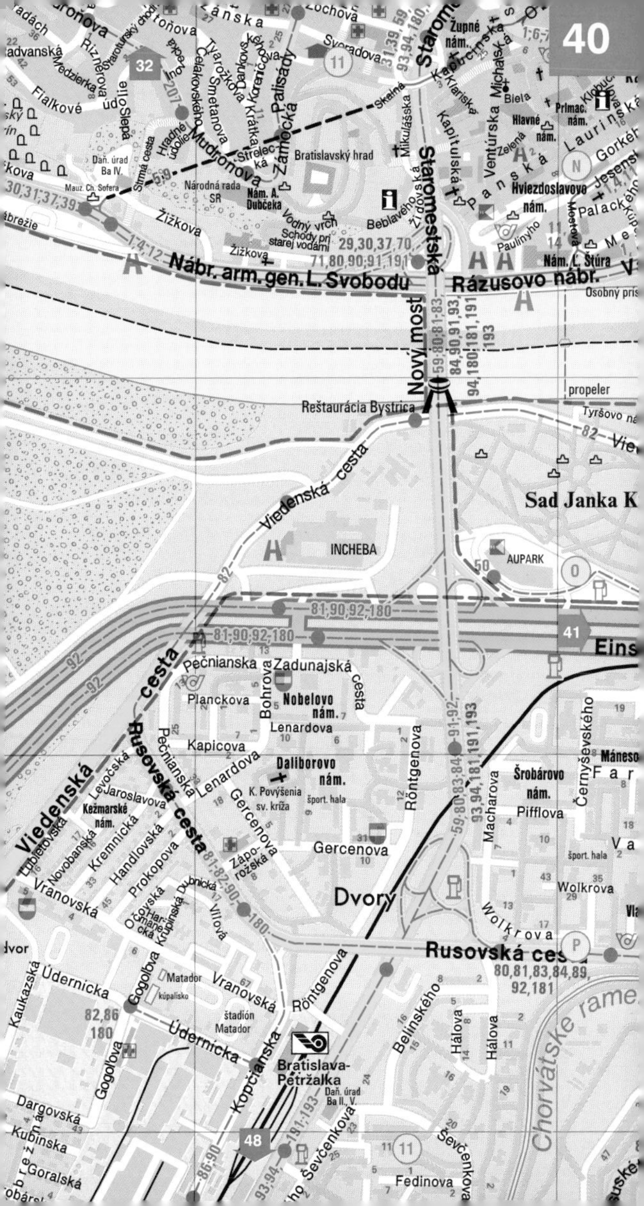
Bratislavský hrad
Národná rada SR
Nám. A. Dubčeka
Vodný vrch
Schody pri starej vodárni
Nábr. arm. gen. L. Svobodu
Rázusovo nábr.
Nový most
Staromestská
Hviezdoslavovo nám.
Nám. L. Štúra
Reštaurácia Bystrica
propeler
Viedenská cesta
INCHEBA
AUPARK
Sad Janka K
Einst
Pečnianska
Zadunajská cesta
Planckova
Bohrova
Nobelovo nám.
Lenardova
Kapicova
Daliborovo nám.
K. Povýšenia sv. kríža
šport. hala
Röntgenova
Šrobárovo nám.
Pifflova
Macharova
Černyševského
Rusovská cesta
Viedenská
Kežmarské nám.
Jaroslavova
Gercenova
Záporožská
Dvory
Wolkrova
Matador
kúpalisko
štadión Matador
Údernicka
Vranovská
Kopčianska
Bratislava-Petržalka
Daň. úrad Ba II., V.
Belinského
Hálova
Chorvátske rameno
Ševčenkova
Fedinova
Gogolova
Dargovská
Kubínska
Goralská

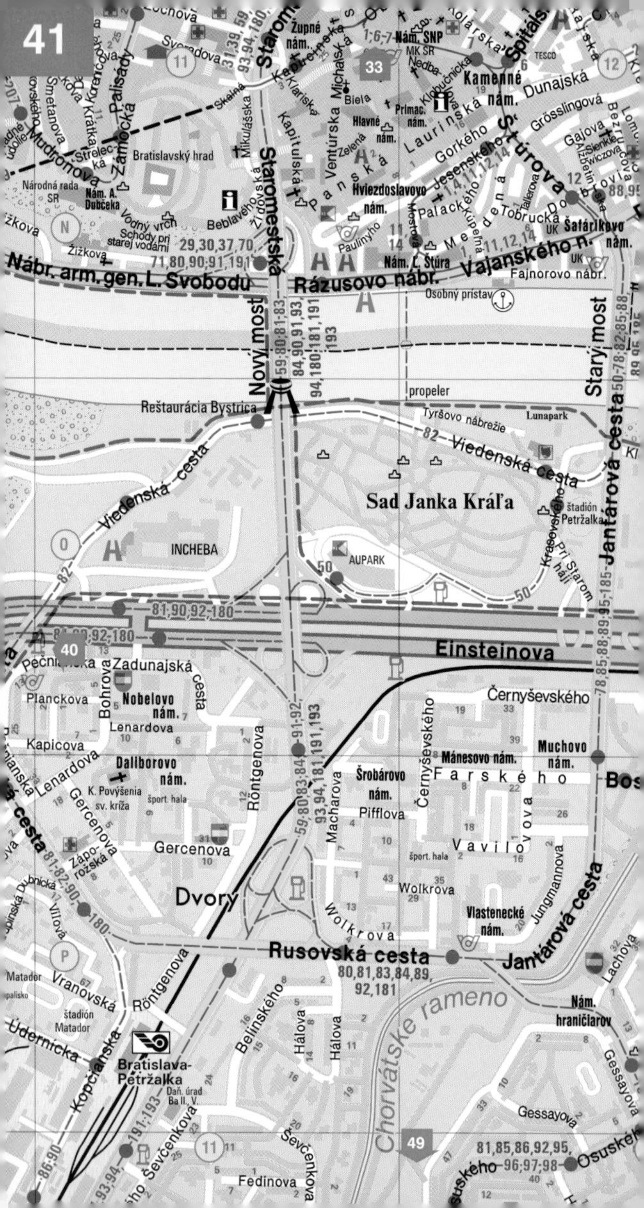
Župné nám.
Nám. SNP
MK SR
Kolárska
Špitálska
TESCO
33
12
11
Sverdadova
Palisády
Zámocká
Smetanova
Kapitulská
Klariská
Michalská
Ventúrska
Biela
Primac. nám.
Hlavné nám.
Kamenné
Laurinská
nám.
Dunajská
Grösslingová
Gorkého
Jesenského
Štúrova
Gajova
Strelecká
Bratislavský hrad
Mudroňova
Národná rada SR
Nám. A. Dubčeka
Vodný vrch
Schody pri starej vodárni
Beblavého
Židovská
Mikulášska
Panská
Hviezdoslavovo nám.
Palackého
Mostová
Tallerova
Kúpeľná
Medená
Tobrucká
UK
Šafárikovo nám.
Paulínyho
Žižkova
Nám. L. Štúra
Vajanského n.
Fajnorovo nábr.
Nábr. arm. gen. L. Svobodu
Rázusovo nábr.
Osobný prístav
Staromestská
Nový most
Starý most
propeler
Reštaurácia Bystrica
Tyršovo nábrežie
Lunapark
Viedenská cesta
Sad Janka Kráľa
štadión Petržalka
Krasovského
Pri Starom háji
INCHEBA
AUPARK
Jantárová cesta
Einsteinova
40
Pečnianska
Zadunajská cesta
Planckova
Bohrova
Nobelovo nám.
Lenardova
Kapicova
Röntgenova
Černyševského
Mánesovo nám.
Muchovo nám.
Daliborovo nám.
K. Povýšenia sv. kríža
šport. hala
Gercenova
Záporožská
Šrobárovo nám.
Farského
Pifflova
Macharova
Vavilovova
Jungmannova
Wolkrova
Dvory
Vlastenecké nám.
Rusovská cesta
Dubnická
Vílová
Matador
Vranovská
štadión Matador
Údernícka
Kopčianska
Bratislava-Petržalka
Daň. úrad Ba II., V.
Belinského
Hálova
Chorvátske rameno
Nám. hraničiarov
Lachova
Gessayova
Ševčenkova
Fedinova
49
Osuského

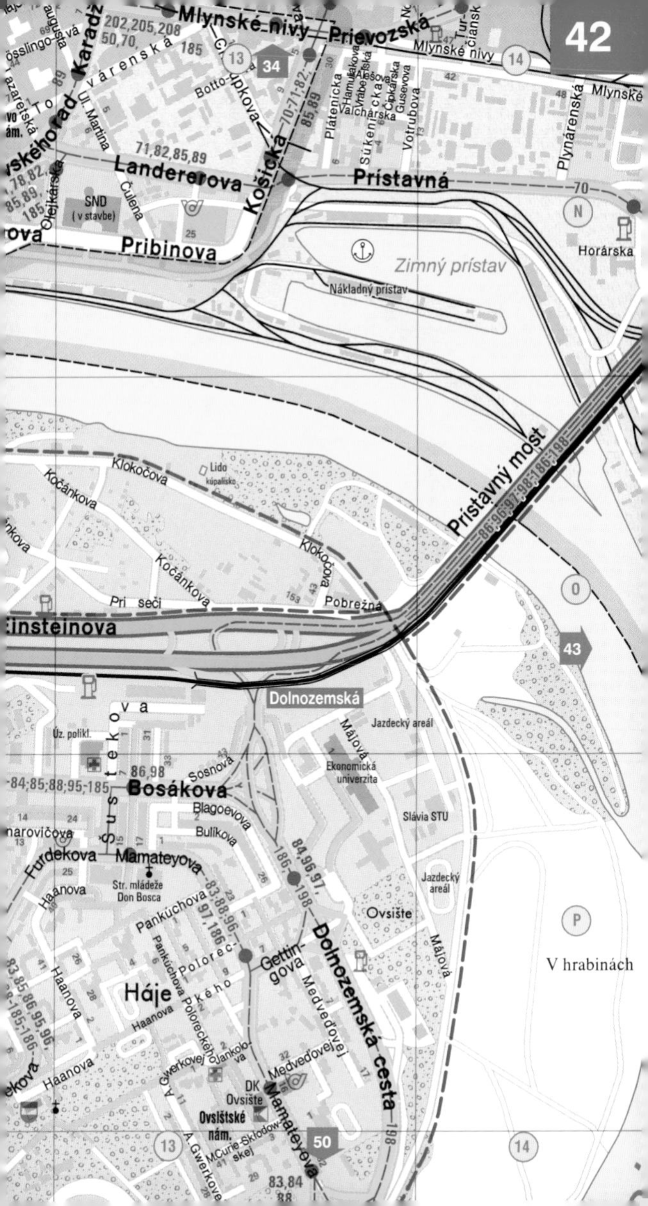
Mlynské nivy
Prievozská
Mlynské nivy
Mlynské
Karadžičova
Landererova
Košická
Prístavná
Pribinova
Plynárenská
Horárska
Zimný prístav
Nákladný prístav
SND
(v stavbe)
Čulena
Olejkárska
Ul. Martina
Botto-
Chalupkova
Páternická
Valchárska
Súkennícka
Čipkárska
Gusevova
Votrubova
Prístavný most
86,96,97,98,186,198
Klokočova
Lido
kúpalisko
Kočánkova
Pri seči
Pobrežná
Einsteinova
Dolnozemská
Jazdecký areál
Májová
Ekonomická
univerzita
Slávia STU
Jazdecký
areál
Ovsište
V hrabinách
Úz. polikl.
Šusteková
86,98
Bosákova
84,85,88,95,185
Sosnova
Blagoevova
Bulíkova
Furdekova
Mamateyova
Haanova
Str. mládeže
Don Bosca
Pankúchova
Polóreckého
Gettingova
Dolnozemská cesta
Medveďovej
Jankolova
A. Gwerkovej
DK
Ovsište
Ovsištské
nám.
M.Curie-Skłodowskej
Háje
84,96,97,
186,
198
83,88,96,
97,186
83,85,86,95,96,
185,186
83,84
88
71,82,85,89
202,205,208
50,70,
185
70-71-82,
85,89
70
34
43
50
13
14
N
O
P

Mlynské nivy
Plynárenská
Bajkalská
Baumax
Prístavná
Horárska
Ružinov
Alejová
Slovnaftská
Komárnanská
Lúčna
Malé Pálenisko
Rosná
Nové Pálenisko
Uhorková
Stará černicová
Prístavný most
86;96;97;98;186;198
76,77
Iodenica
Nové prístavisko
Povodie Dunaja
V hrabinách
35
42
51
14
15

Krásna
K. Božského srdca
Nem. s. pol. Milosrd. bratia
Varín-ska
Jabloňová
Bažantia
Kladnianska
Gruzínska
Fibichova
Parková
Kláštorská
Konopná
Syslia
Račianska
Rovná
Ľaliová
Ružičková
Telocvičná
Syslia
Domkárska
Ústredná nákladná stanica
Keplerova
Domové role
Jastrabia
Prielohy
Piesčiny
Poľnohospodárske družstvo
Slovnaftská
les
Malý Dunaj
Veľké záhrady
Pri Čiernom lese
Slovnaftská
Vlčie hrdlo
SLOVNAF
36
45
52
16
17
N
O
P
86
76,77
74,77

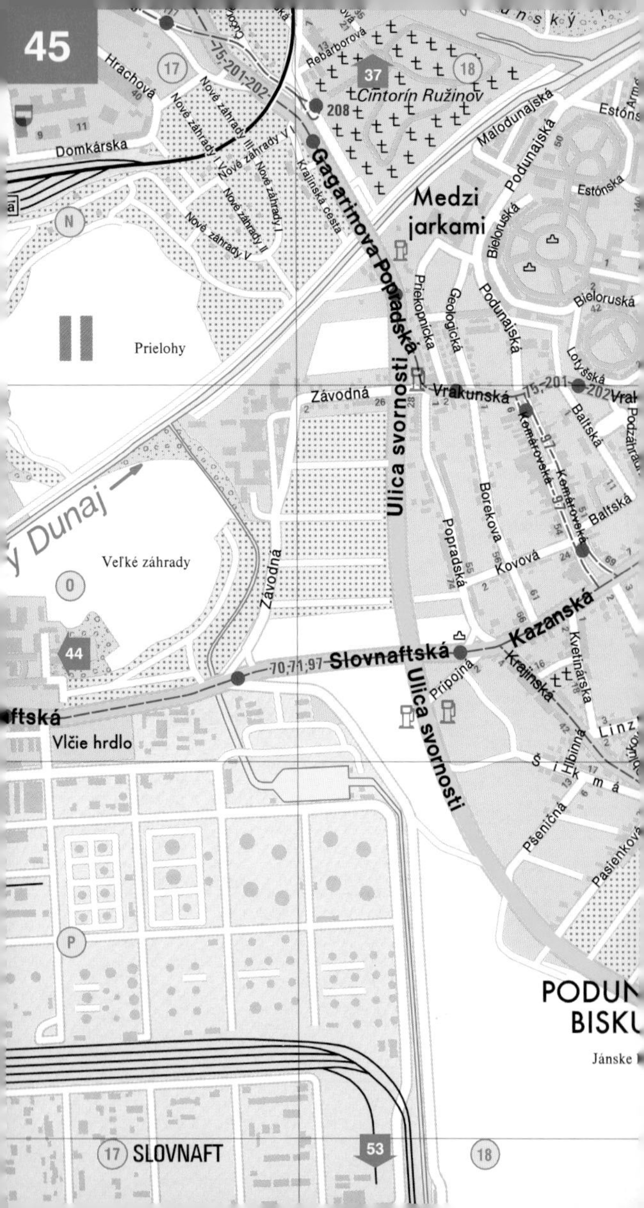
Hrachová
Domkárska
Nové záhrady I
Nové záhrady II
Nové záhrady III
Nové záhrady V
Nové záhrady VI
Rebarborová
Cintorín Ružinov
37
208
Gagarinova
Krajinská cesta
Malodunajská
Podunajská
Estónska
Medzi
jarkami
Bieloruská
Priekopnícka
Geologická
Popradská
Lotyšská
Prielohy
Závodná
Vrakunská
75-201-202
Ulica svornosti
Baltská
Komárovská
97
Borekova
Kovová
Kazanská
Dunaj
Veľké záhrady
44
Slovnaftská
70,71,97
Prípojná
Krajinská
Kvetinárska
Linzbothova
Vlčie hrdlo
Hlbinná
Šikmá
Pšeničná
Pasienková
PODUN
BISKU
Jánske
SLOVNAFT
53

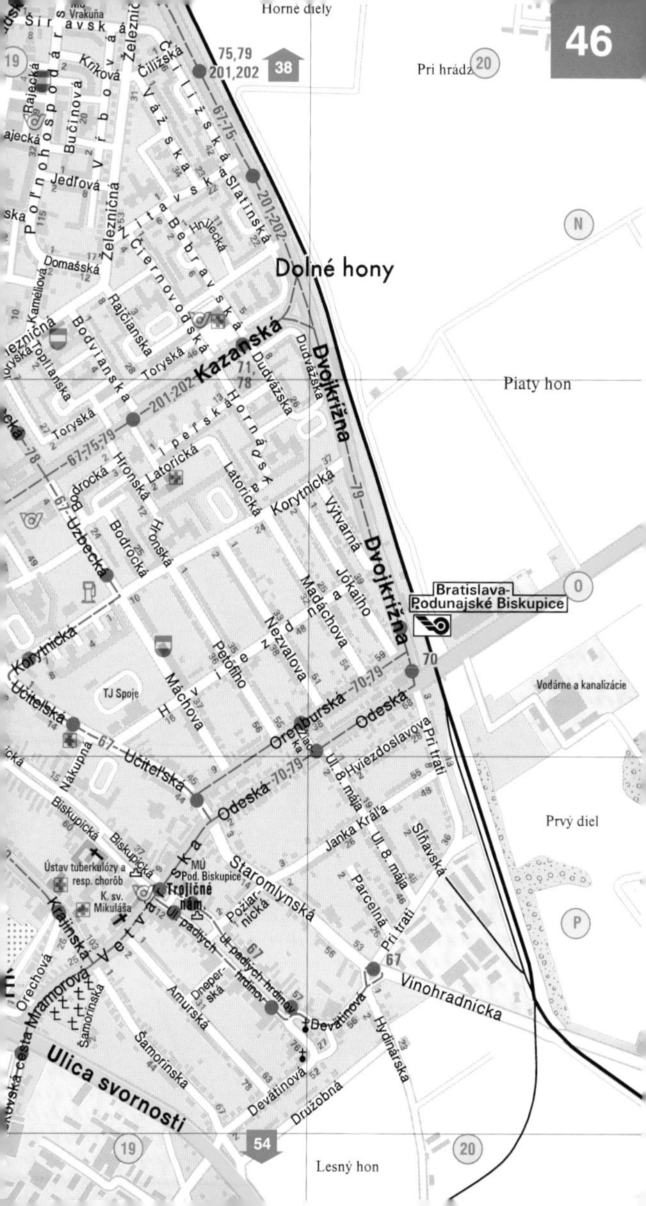
Horné diely
75,79
201,202
38
Pri hrádzi
20
19
Širavská
Rajecká
Kríková
Čilížská
Bučinová
Vážska
Liptovská
Slatinská
Jedľová
Pornohospodárska
Vŕbová
Železničná
Nitrianska
Bebravská
Hnilecká
Čiernovodská
Domašská
Kameliová
Dolné hony
N
Rajčianska
Bodvianska
Toplianska
Toryská
Kazanská
Dudvážska
Dvojkrížna
Piaty hon
Hornádska
Iperská
Latorická
Bodrocká
Hronská
Užbecká
Korytnícka
Výtvarná
Jókaiho
Madáchova
Nezvalova
Petőfiho
Hviezdoslavova
Máchova
Bratislava-
Podunajské Biskupice
O
70
Vodárne a kanalizácie
TJ Spoje
Učiteľská
Orenburská
Odeská
Nákupná
Pri trati
Biskupická
Ul. 8. mája
Janka Kráľa
Prvý diel
Sliňavská
Ústav tuberkulózy a resp. chorôb
K. sv. Mikuláša
MÚ Pod. Biskupice
Trojičné nám.
Ul. padlých hrdinov
Požiarnícka
Staromlynská
Parcelná
P
Krajinská
Orechová
Mramorová
Šamorínska
Amurská
Dneperská
Deväťinová
Hydinárska
Vinohradnícka
Ulica svornosti
Družobná
54
Lesný hon

47
9
39
10
Kapitulské pole
137
Q
Vojenský dvor
136
R
Neurisse
A
S
Kittsee
Schulstraße
Ch.7.G.
Chikago 6. G.
Chikago
Ch.5.G
Industriestr.
Betriebsstraße
Ch.4.G.
Chikago 3. G.
Chikago 2. G.
Friedhofgasse
Chikago
Ch. 1. G.
Pressburger Straße
9
Obere Hauptstr.
8
Am Burggraben
Spitalgasse
Ziegelofen
Hauptplatz

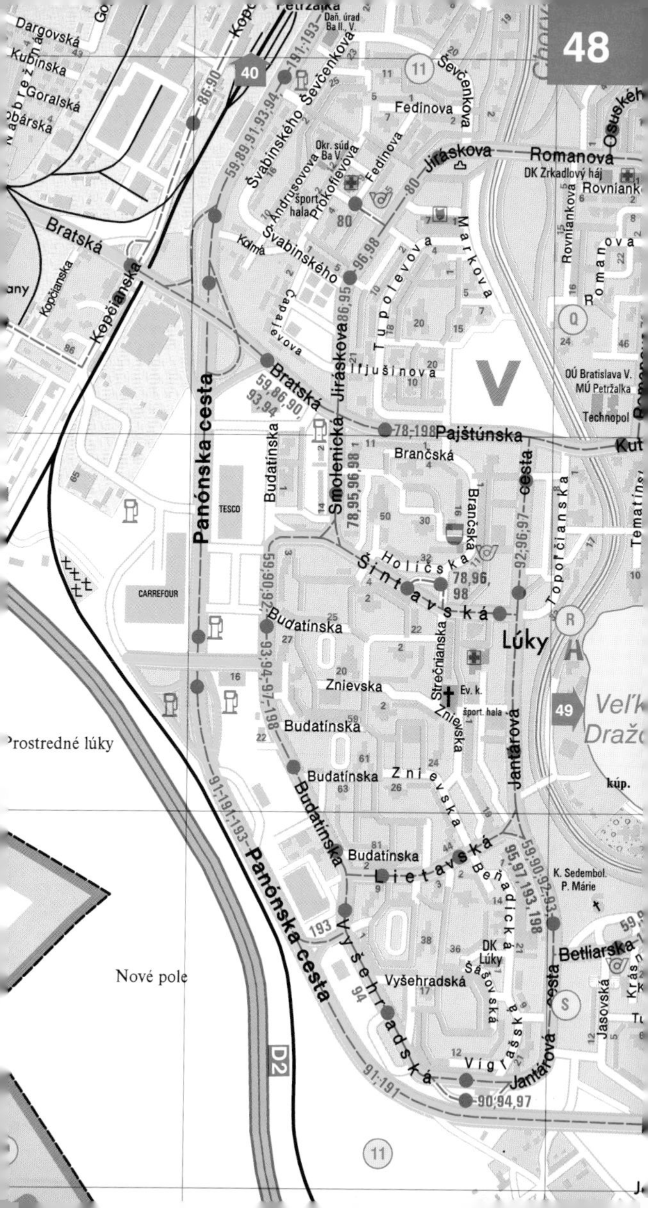
Dargovská
Kubinská
Goralská
Bratská
Kopčianska
Panónska cesta
Švabinského
Ševčenkova
Fedinova
Jiráskova
Romanova
DK Zrkadlový háj
Rovniankova
Okr. súd Ba V.
Prokofievova
Andrusovova
šport. hala
Kolmá
Capajevova
Tupolevova
Markova
Iľjušinova
OÚ Bratislava V.
MÚ Petržalka
Technopol
Pajštúnska
Brančská
Budatínska
Smolenická
TESCO
CARREFOUR
Holíčska
Šintavská
Topoľčianska
Lúky
Strečnianska
Ev. k.
Znievska
šport. hala
Jantárova
Jantárova cesta
Prostredné lúky
Lietavská
Beňadická
K. Sedembol. P. Márie
Betliarska
Vyšehradská
DK Lúky
Šášovská
Vígľašská
Jasovská
Nové pole
D2
kúp.
Daň. úrad Ba II. V.
Petržalka
40
49

Petržalka
Daň. úrad Ba II., V.
Ševčenkova
Fedinova
Jiráskova
Romanova
DK Zrkadlový háj
Rovniankova
Ambroseho
Gessayova
Osuského
81,85,86,92,95,
96;97;98
Hrobákova
41
48
Švabinského
Okr. súd Ba V
Prokofievova
Andrusovova
šport. hala
Kolmá
Capajevova
Tupolevova
Markova
Iljušinova
Bratská
59,86,90,93,94
Budatínska
Panónska cesta
TESCO
RREFOUR
Smolenická
78,95,96,98
Pajštúnska
78;198
Brančská
Holíčska
Šintavská
78,96,98
Lúky
Jantárova cesta
92;96;97
Topoľčianska
Kutlíkova
Starhradská
Tematínska
OÚ Bratislava V.
MÚ Petržalka
Technopol
81,85,
181,186
78;81;85,
97,181,186
Bradáčova
PETRŽA
Zrka
Veľký Draždiak
kúp.
59,95
Antolská
Nem. sv. Cyrila a Meto
59;90;92;
93;94;97;198
Zrnievska
Strečnianska
Ev. k.
šport. hala
Zrnievska
Lietavská
Beňadická
95,97,193,198
59;90;92;93;
K. Sedembol. P. Márie
59,92,93,95,
193;198
Betliarska
Krásnohorská
Ľubovnianska
Jasovská
Turnianska
Humenské nám.
Žehrianska
DK Lúky
Šášovská
Vyšehradská
Vígľašská
90;94,97
91;191
91-191-193
193
94
D2
vé pole
Panónska cesta
Janíkov dvor
11
12
V
Q
R
S

DK
Ovsište
Ovsištské nám.
Mamateyova
A. Gwerkovej
M.Curie-Skłodowskej
13
42
14
83,84
88
185
Dostihová dráha
Starohájska
Starý háj
81
Kutlíkova
198
134
Dun
Q
R
51
Dolnozemská cesta
Štrkopieskovňa Petržalka
93
92,193,
198
Čistiaca stanica odpadových vôd
Janíkov dvor
Dunajské ostrovy
S
Janíkovské role
13
14
Dolnozemská cesta
191

14
43
15
Dunaj
Q
Vlčie hrdlo
Vodostav
R
77
50
S
ostrovy
horáreň Kopáč
14
15

16
44
17
Q
Tepelná
elektráreň
77
R
53
iel
S
Kopáčsky ostrov
16
17
horáreň

SLOVNAFT
17
45
18
Alejové hony
Q
Lieskovská cesta
52
R
79
Lieskovec
79
S
Panský diel
79
17
18
Ketelec

46
19
20
Lesný hon
Poľnohospodárske družstvo
Ovčiarska
Pri hrádzi
Pri hrádzi
Prvý diel
Q
Trhové polia
Pasienky
R
Rovinka
Pasienky
S
Pripor
Topoľové hony
19
20

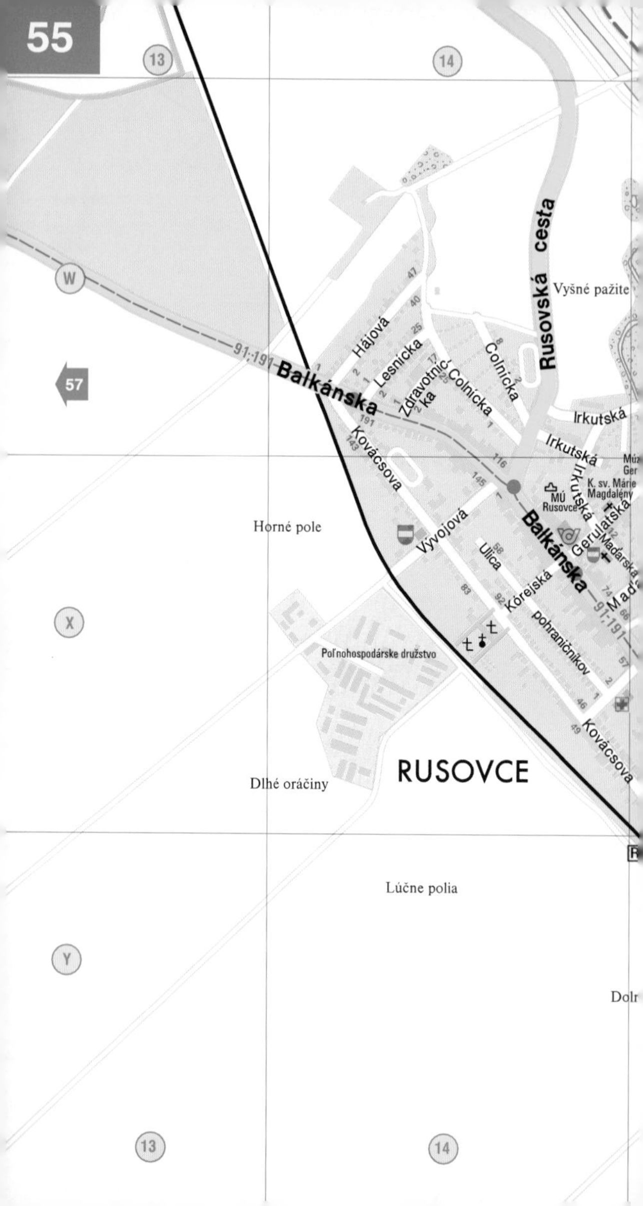
13
14
W
X
Y
57
Rusovská cesta
Vyšné pažite
Hájová
Lesnícka
Zdravotnícka
Colnícka
Irkutská
Balkánska
91;191
Kovácsova
Vývojová
Ulica
Kórejská
pohraničníkov
Gerulatská
Maďarská
K. sv. Márie Magdalény
MÚ Rusovce
Horné pole
Poľnohospodárske družstvo
RUSOVCE
Dlhé oráčiny
Lúčne polia

Horná Sihoť
Dunaj
Dolná Sihoť
132
Záhrady
132
Balkánska
Ostrovné lúčky
191
Balkánska
Poľnohospodárske družstvo
130
15
16
W
X
Y

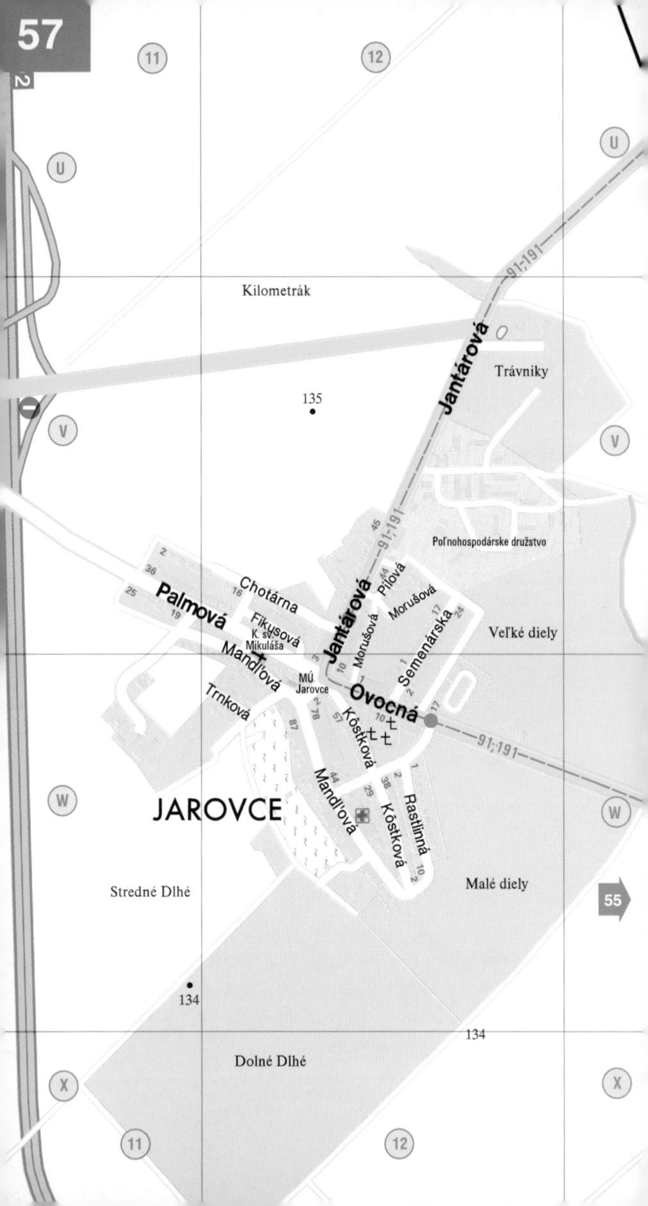

Kilometrák
Jantárová
Trávniky
135
91;191
Poľnohospodárske družstvo
Pilová
Morušová
Semenárska
Veľké diely
Chotárna
Palmová
Fikusová
K. sv. Mikuláša
Mandľová
MÚ Jarovce
Trnková
Ovocná
Kôstková
Rastlinná
JAROVCE
Stredné Dlhé
Malé diely
134
Dolné Dlhé

55

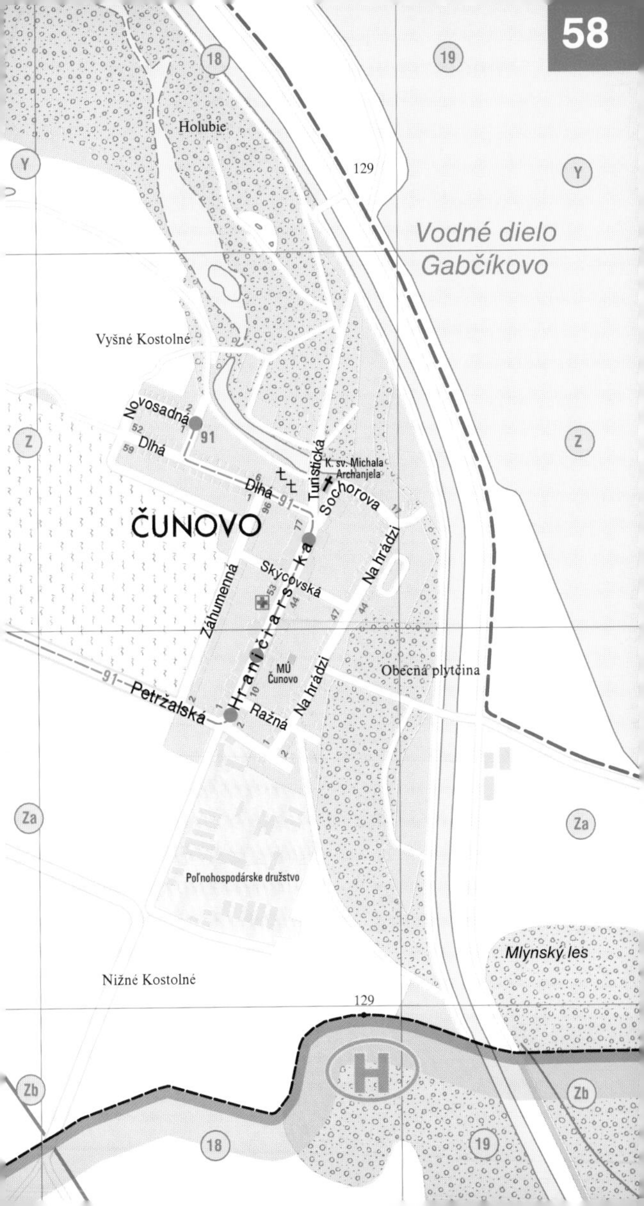

18
19
Holubie
129
Y
Vodné dielo Gabčíkovo
Vyšné Kostolné
Novosadná
91
Dlhá
Z
K. sv. Michala Archanjela
Turistická
Sochorova
ČUNOVO
Záhumenná
Skýcovská
Na hrádzi
Hraničiarska
MÚ Čunovo
Obecná plytčina
Petržalská
Ražná
Za
Poľnohospodárske družstvo
Mlynský les
Nižné Kostolné
Zb
H

BRATISLAVA
REGISTER NÁZVOV ULÍC A WÁMESTÍ
STRASSENVERZEICHNIS
UTCA ÉS TÉR JEGYZÉK
STREET INDEX

S * označené názvy sa nachádzajú len na pláne pre centrum mesta.
Mit * gekennzeichnete Namen können nur im Innenstadtplan gefunden werden.
A * jelölt nevek csak a belváros térképen találhatók.
Street names marked with an * can only be found on the Inner City-map.

A

B

C

Č

D

E

F

G

H

N

O

P

R

S

Š

T

U

MARIANKA

KITTSEE

BRATISLAVA,
HLAVNÉ MESTO SLOVENSKEJ REPUBLIKY

HISTÓRIA MESTA

Prvé stopy osídlenia na území dnešného mesta siahajú do praveku. V 1. sto
pred n. l. tu sídlili keltskí Bójovia, začiatkom našeho letopočtu prenikli k Dunaj
Rimania. V 5. - 6. sa tu začali usadzovať Slovania, v 9. stor. vzniklo na Hradnor
kopci hradisko. Mesto sa vyvinulo v 10. - 12. storočí z podhradnej trhovej osady
V r. 1291 udelil uhorský kráľ Ondrej III. Bratislave plné mestské výsady, ktoré bo
v priebehu 14. a 15. stor. rozšírené o ďalšie privilégiá. Od roku 1405 malo mest
zástupcov v uhorskom sneme. Právo používať mestský erb udelil mestu krá
Žigmund Luxemburský r. 1436. V roku 1465 založil Matej Korvín Academi
Istropolitanu, prvú univerzitu na území dnešného Slovenska. Po bitke pri Moháč
(1526) vyhlásil panovník r. 1536 Bratislavu za hlavné mesto Uhorska. Sídlil t
snem, komory a miestodržiteľské rady.

Veľký hospodársky a politický význam dosiahla Bratislava za panovania Mári
Terézie v r. 1740-80. Neskôr Jozef II. presťahoval ústredné úrady opäť d
Budína. Uhorský snem zasadal v Bratislave do roku 1848, keď odhlasoval záko
o zrušení poddanstva. Do roku 1830 bola Bratislava korunovačným mestor
uhorských kráľov.

Koncom 18. storočia patrila k najvyspelejším mestám Uhorska a koncom 19. sto
ročia sa stala najvýznamnejším priemyselným a dopravným centrom na územ
dnešného Slovenska.

Najznámejšie historické pamiatky mesta sú:

Bratislavský hrad	Zámocká 2	41 N 11
Academia Istropolitana	Ventúrska 3	41 N 11
Apponyiho palác	Radničná 1 *	N 11-12
Aspremontov palác	Špitálska 24	33 M 12
Dóm sv. Martina	Rudnayovo nám *	N 11
Esterházyho palác	Panská 13	40 N 11
Františkánsky kostol	Františkánske nám. *	N 11
Grassalkovichov palác	Hodžovo nám. 1	33 M 11
Hrad Devín	Devín	15 J 2
Jezuitský kostol	Františkánske nám. *	N 11
Keglevichov palác	Panská 27	40 N 11
Kostol Klarisiek	Klariská ul.	40 N 11
Letný arcibiskupský palác	Námestie Slobody 1	33 M 12
Mestské divadlo	Hviezdoslavovo nám.	40 N 12
Michalská brána	Michalská ulica	40 N 11
Mirbachov palác	Františkánske námestie 11 *	N 11
Palác Leopolda de Pauliho	Ventúrska 15	40 N 11
Dom U dobrého pastiera	Židovská 1	40 N 11
Pálffyho palác	Panská 19-21	40 N 11
Primaciálny palác	Primaciálne nám. 1	40 N 12
Stará radnica	Hlavné nám. 1	40 N 11
Evanjelické lýceum	Konventná ul. *	M 11
Zichyho palác	Ventúrska 9	40 N 11

S * označené názvy sa nachádzajú len na pláne pre centrum mesta.

BRATISLAVA, DIE HAUPTSTADT DER SLOWAKISCHEN REPUBLIK

DIE GESCHICHTE DER STADT

Die ersten Spuren einer Besiedlung reichen bis in die Urzeit zurück. Im 1. Jh. v. Chr. siedelten hier keltischen Bojer, zu Beginn unserer Zeitrechnung drangen die Römer bis an die Donau vor. Im 5.-6. Jh. begannen sich die Slawen hier niederzulassen, im 9. Jh. entstand auf dem Schlossberg eine Burgwall. Im 10.-12. Jh. entstand die Stadt aus einer Marktsiedlung unter der Burg. Im Jahre 1291 verlieh der ungarische König Andreas III. der Stadt den großen Freiheitsbrief, der den Bürgern wertvolle Vorrechte einräumte. Seit dem Jahre 1405 hatte die Stadt ihre Vertreter im ungarischen Parlament. Im Jahre 1436 erhielt die Stadt den Wappenbrief von König Sigismund von Luxemburg. Im Jahre 1465 wurde von Mathias Corvinus die erste Universität auf dem Gebiet der heutigen Slowakei, die Academia Istropolitana, gegründet. Nach der Schlacht bei Mohács (1526), wurde die Stadt im Jahre 1536 zur Hauptstadt Ungarns erklärt. Das Parlament, die Kammern und die Stadthaltsräte hatten hier ihren Sitz.

Große wirtschaftliche und politische Bedeutung erlangte die Stadt während der Zeit Maria Theresias, in den Jahren 1740 bis 1780. Später verlegte Kaiser Joseph II. die zentralen Ämter wieder zurück nach Ofen. Das ungarische Parlament tagte in Bratislava bis zum Jahre 1848. Bis zum Jahre 1830 war Bratislava die Krönungsstadt der ungarischen Könige.

Ende des 18. Jh. gehörte sie zu den meistenwickelten Städten Ungarns, und zu Ende des 19. Jh. wurde sie das bedeutenste Industrie- und Verkehrszentrum der heutigen Slowakei.

Die wichtigste Sehenwürdigkeiten der Stadt sind:

Bratislavaer Burg	Zámocká 2	41 N 11
Academia Istropolitana	Ventúrska 3	41 N 11
Apponyi-Palais	Radničná 1 *	N 11-12
Palais Aspremont	Špitálska 24	33 M 12
St. Martinsdom	Rudnayovo nám. *	N 11
Esterházy Palais	Panská 13	40 N 11
Franziskanerkirche	Františkánske nám. *	N 11
Grassalkovich-Palais	Hodžovo nám. 1	33 M 11
Burg Devín	Devín	15 J 2
Jesuitenkirche	Františkánske nám. *	N 11
Keglevich-Palais	Panská 27	40 N 11
Klarissenkirche	Klariská ul.	40 N 11
Erzbischöflicher Sommerpalais	Námestie Slobody 1	33 M 12
Stadttheater	Hviezdoslavovo nám.	40 N 12
Michaelertor	Michalská ulica	40 N 11
Mirbach-Palais	Františkánske námestie 11 *	N 11
De Pauli-Palais	Ventúrska 15	40 N 11
Haus zum Guten Hirten	Židovská 1	40 N 11
Palais Pálffy	Panská 19-21	40 N 11
Primatial Palais	Primaciálne nám. 1	40 N 12
Altes Rathaus	Hlavné nám. 1	40 N 11
Evangelisches Lyzeum	Konventná ulica *	M 11
Palais Zichy	Ventúrska 9	40 N 11

Mit * gekennzeichnete Namen können nur im Innenstadtplan gefunden werden.

POZSONY, SZLOVÁKIA FŐVÁROSA

A VÁROS TÖRTÉNELME

A településről az első említések az őskorból valók. A kelta bóják az i.e 1. század ban, a rómaiak időszámításunk kezdetén jutottak el a Dunáig. Az 5.- 6.-ik század ban a szlávok kezdtek letelepedni ezen a területen; a 9.-ik században Várhegye kialakult a váralja. A város a 10.-12.-dik százaban fejlődött ki váraljai vásárhelyb városså. 1291-ben III. Béla magyar király városi jogokat adományozott a telepü lésnek, amelyek később további jogokkal voltak megtoldva a 14.-15.-ik század foly amán. 1405-től a városnak már voltak választott képviselői az országgyűlésben. A városi címer használati jogát Luxemburgi Zsigmond király adományozta a városnak 1436-ban. 1465-ben Korvin Mátyás megalapította az Academia Istropolitana neve viselő, Szlovákia területén elhelyezkedő első egyetemet. A mohácsi vész után (1526) Magyarország uralkodója Pozsonyt az ország fővárosává tette meg. Itt üle sezett az országgyűlés, a céhek és a helytartó szervek.
Mária Terézia uralkodása alatt (1740-80) Pozsonynak megnőtt a gazdasági és a politikai jelentősége. Később II. József áthelyeztette a központi hivataloka Budára. A magyar országgyűlés 1848-ig Pozsonyban ülésezett, amikor is megs zavazta a jobbágyfelszabadításról szóló törvényt. Pozsony 1830-ig a magyar kirá lyok koronázási városa volt.
A 18.-ik század végén Magyarország legfejlettebb városai közé tartozott és a 19. ik század végén a legjelentőssebb ipari és közlekedési központ volt a ma Szlovákia területén.
A figyelmükbe ajánlom a következő műemlékeket:

Pozsonyi vár	Zámocká 2	41 N 11
Academia Istropolitana	Ventúrska 3	41 N 11
Apponyi palota	Radničná 1 *	N 11-12
Aspermont palota	Špitálska 24	33 M 12
Szt. Márton dóm	Rudnayho nám. *	N 11
Eszterházy palota	Panská 13	41 N 11
Ferencesek temploma	Františkánske nám. *	N 11
Grassalkovich palota	Hodžovo nám. 1	33 M 11
Dévényi vár	Devín	15 J 2
Jezsuiták temploma	Františkánske nám. *	N 11
Keglevich palota	Panská 27	40 N 11
Klarisszák temploma	Klariská ul.	40 N 11
Nyári érseki palota	Námestie Slobody 1	33 M 12
Városi színház	Hviezdoslavovo nám.	40 N 12
Mihály kapu	Michalská ul.	40 N 11
Mirbach palota	Františkánske nám. 11 *	N 11
Leopold de Pauli palota	Ventúrska 15	40 N 11A
Magyar királyi alsó- és felsőház palotája	Michalská 11	40 N 11
Pálffy palota	Panská 19-21	40 N 11
A prímás palota	Primaciálne nám. 1	40 N 12
Városháza	Hlavné nám. 1	40 N 11
Evangélikus templom	Panenská ul. *	M 11
Zichy palota	Ventúrska 9	40 N 11

A * jelölt nevek csak a belváros térképen találhatók.

BRATISLAVA,
CAPITAL OF THE SLOVAK REPUBLIC

HISTORY OF THE CITY

The first settlement traces on the territory of the present city go back to the primeval. In the first century B. C. it was inhabited by Celtic Bojars, at the beginning of our era Romans were penetrating to the Danube. In the fifth and sixth century Slavs started to settle down, in the ninth century a castle was errected on the castle hill. In the course of the tenth - twelfth century the town developed from a market settlement under the castle. In 1291 it was given city rights by the Hungarian king Andrew III., which were enlarged in the fourteenth and fifteenth century by further privileges. Since 1405 the city had its representatives in the Hungarian Parliament. The right to use heraldry was granted by king Sigismund of Luxembourg in 1436. In 1465 Matthias Corvinus founded the Academia Instrapolitana, the first university on the terrritory of present Slovakia. After the battle of Mohács in 1526 Bratislava became the capital of Hungary and the seat of the Parliament, the Chambers and the Governor´s Council.
Bratislava reached a great economic and political importance during the regin of Maria Theresa in 1740-80. Later Joseph II moved the central bodies back to Buda. The Hungarian Parliament had its sessions in bratislava up the year 1848, when it adopted the Law on the Abolishing of Servitude. To the year 1830 Bratislava was the coronation city of the Hungarian kings.
To the end of the eighteenth century belonged to the most developed Hungarian cities and to the end of the nineteenth century it became the outstanding industrial and traffic centre of present Slovakia.
The most popular sights of the city are:

Bratislava Castle	Zámocká 2	41 N 11
Academia Instrapolitana	Ventúrska 3	41 N 11
Palace of the Apponyi Family	Radničná 1 *	N 11-12
Aspremont Palace	Špitálska 24	33 M 12
St. Martin´s Cathedral	Rudnayovo nám. *	N 11
Palace of the Esterházy Family	Panská 13	40 N 11
The Church of the Order of St Francis	Františkánske nám. *	N 11
Palace of the Grassalkovich Family	Hodžovo nám. 1	33 M 11
Castle Devín	Devín	15 J 2
Jesuit Church	Františkánske nám. *	N 11
Palace of the Keglevich Family	Panská 27	40 N 11
The Church of the Sisters of St Clara	Klariská ul.	40 N 11
Summer Mansion of the Archbishop	Námestie Slobody 1	33 M 12
City Theatre	Hviezdoslavovo nám.	40 N 12
Michael´s Gate	Michalská ulica	40 N 11
Mirbach Palace	Františkánske námestie 11 *	N 11
De Pauli Palace	Ventúrska 15	40 N 11
House of the Good Shepherd	Židovská 1	40 N 11
Palace of the Pálffy Family	Panská 19-21	40 N 11
The Primate´s Family	Primaciálne nám. 1	40 N 12
The Old Town Hall	Hlavné nám. 1	40 N 11
Evangelic Lyceum	Konventná ul. *	M 11
Palace of the Zichy Family	Ventúrska 9	40 N 11

Street names marked with an * can only be found on the Inner City-map.

ZÁKLADNÉ ÚDAJE · GRUNDLEGENDE ANGABEN · ALAPADATOK · BASIC FACTS

Pocet obyvatelov	428 672
Rozloha	367,6 km²
Poloha	48°10´ severnej širky 17°10´ východnej dlžky
Nadmorská výška	126 - 514 m nad morom
Cas	stredoeurópsky
Pocasie	mierna klíma, priemerná rocná teplota je 9,9°C; rocný úhrn, zrážok 527,4 mm; 1976,4 hodín slnecného svitu za rok

Einwohnerzahl	428 672
Fläche	367,6 km²
Lage	48°10´ der nördl. Breite 17°10´ der östlichen Länge
Meereshöhe	126 - 514 m ü. d. M.
Zeit	mitteleuropäische
Wetter	mildes Klima, die durchschnittliche Jahrestemperatu beträgt 9,9°C; 1976, 4 Stunden von Sonnenschein; jährliche Niederschlagsmenge 527,4 mm

Lakosság létszáma	428 672
Kiterjedés	367,6 km²
Fekvése	48°10´ északi szélesség 17°10´ keleti hosszúság
Tengerszint felleti magasság	126 m-töl 514 m-ig
Idó	kozép-európai időszámítás
Idójárás	enyhe éghajlat, a levegő évi átlaghomérséklete 9,9°C; 1976,4 óra napsütés évenként; az évi átlagos csapadékmennyiség 527,4 mm

Population	428 672
Area	367.6 sq km
Position	48°10´ northern latitude 17°10´eastern longitude
Above sea level	126 - 514 m
Standard time	Central European Time
Climate	mild with an annual average temperature of 9,9°C; there are 1976.4 hours of sunshine yearly, and the average rainfall per year is 527.4 mm

DÔLEŽITÉ INFORMÁCIE · WICHTIGE INFORMATIONEN · FONTOS INFORMÁCIÓK · IMPORTANT INFORMATIONS

	☎
Dopravná polícia · Verkehrspolizei · Közlekedési rendőrség · Traffic police	154
Polícia · Polizei · Rendőrség · Police	158
Cestná a odtahovacia služba · Pannen -und Abschleppdienst · Úti és elhúzószolgálat · Road and breakdown service	4524 9911
Požiarna ochrana · Feuerwehr · Tuzoltóság · Fire unit	150
Záchranná zdravotnícka služba · Rettungsdienst · Mentőszolgálat · Ambulance service	155
Rýchla lekárska pomoc · Schnelle ärztliche Hilfe · Gyors orvosi segitség · Medical emergency service	16 155
Zdravotnícke zariadenia · Sanitätseinrichtungen · Kőrházi intézetek · Health-care facilities:	
Pohotovost pre dospelých	
Bezrucova 5	5296 2461
Líšcie údolie 57	6542 5805
Ružinovská 10	4333 3728
Strecnianska 13	6383 3878
Tehelná 26	4437 2688
Kramáre - Limbová 5	5954 1111
Pohotovost pre deti	

	☎
Ružinovská 10	4333 8645
Líščie údolie 57	6542 5689
Strečnianska 13	6383 3130
Kramáre - Limbová 5	5937 1777

Lekárne s nepretržitou službou · Apotheken mit ständigen Dienst · Patikák állandó forgalommal · Pharmacies with 24-hour service:

Líščie údolie 57	6542 5962
Námestie SNP 20	5443 2952
Palackého 10	5441 9665
Racianska 3	4445 5291
Ružinovská 12	4333 1143
Strečnianska 1	6383 5868

Informácie o prevádzke MHD · Auskunft über Stadtverkehr · Információk a városi tömegközlekedés · Information service on city transport	5296 7751
Slovenská automobilová doprava SAD (informácie) Slowakischer Automobilverkehr (Auskunft) · SAD - Szlovák Állami gépkocsiforgalom (információk) · Bus transport (information service) ·	0984 222 222
Železničná doprava ŽSR (informácie) · Slowakischer Zugverkehr (Auskunft) · ŽSR - Szlovák Államvasutak (információk) · Railway transport (information service)	5058 7565
Letisko M. R. Štefánika (informácie) · Flugplatz M. R. Štefánik (Informationen) · Repülőtér M. R. Štefánik (információk) · Airport M. R. Štefánik (information service)	4857 3353
Informácie o telefónnych číslach · Auskunft über Telefonnummer · Információk a telefonszámokról · Information service on telephone numbers	120, 149
Telegramy · Telegramme · Táviratok · Telegrams	127

MÚZEÁ A GALÉRIE · MUSEEN UND GALERIEN · MÚZEUMOK ÉS KIÁLITÓ TERMEK · MUSEUMS AND ART GALLERIES

Slovenská národná galéria · Slowakische Nationalgalerie · Szlovák nemzeti galéria · Slovak national gallery

Vodné kasárne	Rázusovo nábr. 2	40 N 11	5443 2082
Esterházyho palác	Nám. L. Štúra 4	41 N 12	5443 2081

Galéria mesta Bratislavy · Galerie der Stadt Bratislava · Pozsony városi galéria · Gallery of Bratislava

Mirbachov palác	Františkánske nám. 11 *	N 11	5443 1556
Pálffyho palác	Panská 19	40 N 11	5443 3627
Primaciálny palác	Primaciálne nám. 1	40 N 12	5935 6111
Sibiana	Panská 41	40 N 11	5443 1388
Dom umenia	Nám. SNP 12	41 N 12	5921 4111
C.F.A Gallery	Karpatská 11	33 L 12	5249 9078
Galéria Ardan	Lermontovova 14	33 M 11	5249 3235
Galéria Café	Panská 12	40 N 11	5443 1228
Galéria Danubiana	Vodné dielo Cunovo	58 Za 19	0905 153 064
Galéria Insita	Panská 8	40 N 11	0907 137 008
Galéria Médium	Hviezdoslavovo nám. 18	40 N 11	5443 5334
Galéria Michalský dvor	Michalská 3	40 N 11	5441 1079
Galéria Nova	Baštová 2 *	N 11	5443 3039
Galéria Priestor	Somolického 1/B	33 M 11	

			☎
Galéria Slovenskej sporitelne	Zelená 4	40 N 11	5850 9140
Galéria SPP	Drevená 4 *	M 11	5413 1251
Galéria X-Style	Zámocnícka 5 *	N 11	5443 3467
Galéria Z	Ventúrska 9	40 N 11	5443 1681
Marat Art	Panská 6	40 N 11	5443 4689
PROFIL	Prepoštská 14 *	N 11	5441 6548
Spectrum-Art	Klariská 1	40 N 11	0903 401 222
Umelecká beseda slovenská	Dostojevského rad 2	41 N 12	

Slovenské národné múzeum · Slowakisches Nationalmuseum · Szlovák nemzeti múzeum · Slovak national museum

Prírodovedecké múzeum	Vajanského nábrežie 2	41 N 12	5296 6924
Archeologické múzeum	Žižkova 12	40 N 11	5441 3680
Historické múzeum Hrad	Bratislavský hrad	40 N 11	5934 1626
Múzeum hudby	Bratislavský hrad	40 N 11	5934 1349
Múzeum kultúry karpatských Nemcov	Žižkova 14	40 N 11	5441 5570
Múzeum mimoeurópskych kultúr	Žižkova 18	40 N 11	5441 5455
Mestské múzeum · Städtisches Museum · Városi múzeum · City museum	Primaciálne nám. 3	40 N 12	5920 5111
Expozícia feudálnej justície, Stará radnica	Primaciálne nám. 3	40 N 12	5920 5111
Expozícia histórie Bratislavy, Stará radnica	Primaciálne nám. 3	40 N 12	5920 5130
Expozícia umeleckých remesiel	Beblavého 1	40 N 11	5441 2784
Expozícia zbraní a stredovekého opevnenia - Michalská veža	Michalská 24	40 N 11	5443 3044
Hudobná expozícia - rodný dom J. N. Hummela	Klobucnícka 2	40 N 12	5443 3888
Vinohradnícka expozícia - Apponyiho palác	Radnicná 1 *	N 11-12	5443 1743
Gerulata v Rusovciach	Rusovce, Gerulatská 69	55 X 15	6285 9332
Hrad Devín	Devín, Muránska ul.	15 J 2	6573 0105
Múzeum hodín - Dom U dobrého pastiera	Židovská 1	40 N 11	5441 1940
Múzeum J. Jesenského	Somolického 2	33 M 11	5443 4742
Lodné múzeum - loď Kriván	Dunaj, pri Tyršovom nábr.	40 O 12	6241 2227
Múzeum dopravy	Šancová 1	33 L-M 11	5244 4163
Múzeum polície SR	Gundulicova 2	33 M 11	09 6105 6096
Múzeum židovskej kultúry	Židovská 17	40 N 11	5441 8507

DIVADLÁ · THEATER · SZÍNHÁZAK · THEATHRES

Slovenské národné divadlo · Slowakisches Nationaltheater · Szlovák nemzeti színház · Slovak national theatre

Opera a balet	Hviezdoslavovo nám. 1	40 N 12	5443 3083
Cinohra - divadlo P. O. Hviezdoslava	Laurinská 21	41 N 12	5443 3083
Malá scéna	Dostojevského rad 7	41-42 N 12	5292 3775
Nová scéna	Kollárovo nám. 20	33 M 12	5292 5741
Štúdio L+S	Nám. 1. mája 5	33 M 12	5292 1584
West	Kolárska 3	33 N 12	5296 5831

			☎
ıstorka - Korzo ' 90	Nám. SNP 33	33 N 12	54412245
ıivadlo Aréna	Viedenská cesta 10	41 O 12	6224 6875
ıivadlo AHA	Školská 14	33 M 12	5249 6822
ıtudentské divadlo Ívery	Školská 14	33 M 12	5249 6822
ładošinské naivné divadlo	Škultétyho 5	34 L 13	5556 3508
eátro Gedur, Istropolis	Trnavské mýto 1	34 L 13	5022 8740
ıkana - detské ıuzikálové divadlo	Nábr. arm. gen. L. Svobodu 3	39–40 N 10	5441 5826
ıtátne bábkové divadlo	Dunajská 36	33 N 12	5292 3668

KONCERTNÉ SIENE · KONZERTSÄLE · KONCERT TERMEK · CONCERT HALLS

ılovenská filharmónia	Medená 3	41 N 12	5443 3351, kl. 233
ıudobné centrum	Michalská 10	40 N 11	5443 0331
ılovenský rozhlas	Mýtna ul. 1	33 M 12	5727 3479
ːrkadlová sien ʾrimaciálneho paláca	Primaciálne nám. 1	40 N 12	6232 1242
ːoncertná sien Klarisky	Farská 4 *	N 11	5443 2942

KULTÚRNE STREDISKÁ · KULTURZENTREN · KULTUR CENTRUMOK · CULTURAL CENTRÉS

ıratislavská ıformacná služba	Klobucnícka 2	40 N 12	6232 1242
ıestské kultúrne stredisko	Uršulínska 11 *	N 12	5443 2942
ʾark kultúry a oddychu	Nábr. arm. gen. L. Svobodu 1	40 N 10	5441 5826
ıibiana - medzinárodný om umenia pre deti	Panská 41	40 N 11	5443 1308
ıiestne kultúrne centrum	Školská 14	33 M 12	5249 68[illegible]
ːultus - centrum re kultúru a umenie,			
ıom kultúry Ružinov	Ružinovská 25	36 L 16	4333 0523
ıpolocenský dom Prievoz	Kaštielska 30	36 M 16	4333 7143
ıpolocenský dom Trávniky	Nevädzová 4	35 M 15	4333 0520
ıpolocenský dom Trnávka	Bulharská 60	24 K 16	4333 8462
ıpolocenský dom Nivy	Súťažná 18	34 M 13	5596 0861
ıtredisko kultúry Nové Mesto	Vajnorská 21	34 L 13	4437 3771
)svetové stredisko Kramáre	Stromová 18	32 K 11	5477 1148
)svetové stredisko Slovany	Makovického 4	22 K 14	4425 0771
)om kultúry Dúbravka	Saratovská 2/A	18 H 6	6436 2781
ıtra centrum	Istrijská 4	3 F 1	6477 0033
ıom kultúry Zrkadlový háj	Rovniankova 3	49 Q 12	6383 6776
ıom kultúry Lúky	Vígľašská 1	48 S 11	6382 3930
ːC centrum	Jiráskova 3	48 Q 11	6382 4390
ːlub 22	Vavilovova 22	41 P 12	6224 4789
ı klub	Gessayova 10	49 P-Q 12	6231 5765
ːlub detí Slniecko	Furdekova 6/A	41-42 P 12	6231 1242
ːamping Club Turist Union	Višňová 7	32 K 11	6233 1242

ı * oznacené názvy sa nachádzajú len na pláne pre centrum mesta.
ıit * gekennzeichnete Namen können nur im Innenstadtplan gefunden werden.
ı * jelölt nevek csak a belváros térképen találhatók.
ıtreet names marked with an * can only be found on the Inner City-map.

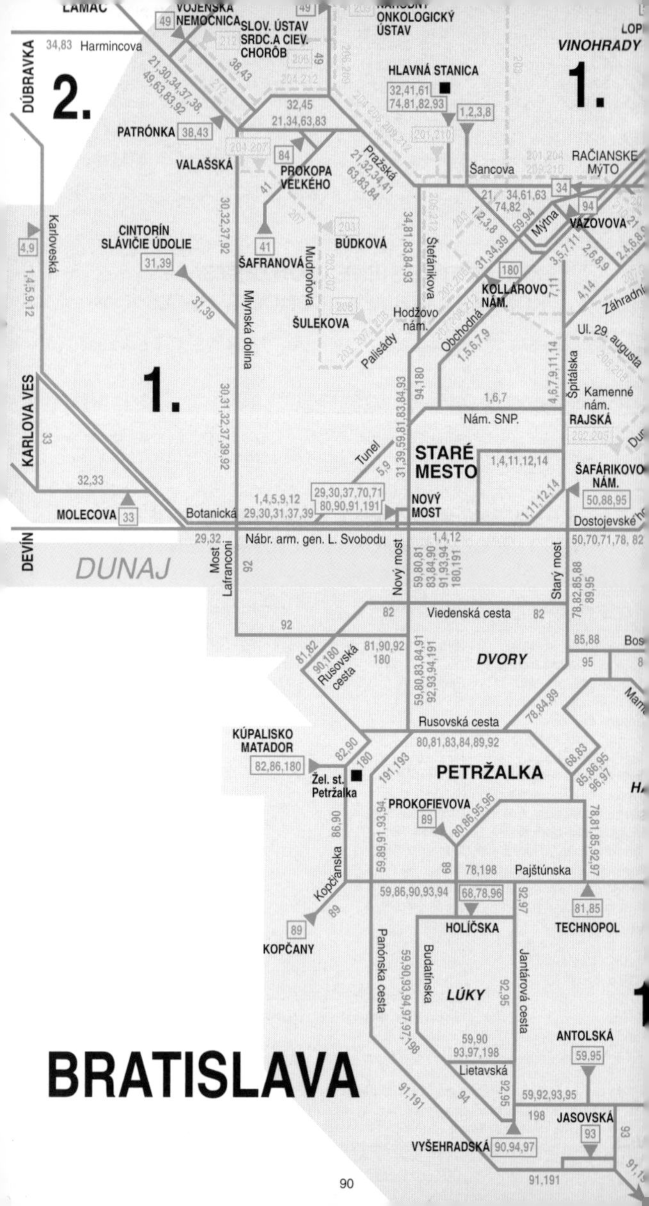
BRATISLAVA
DÚBRAVKA
2.
1.
KARLOVA VES
DEVÍN
DUNAJ
VINOHRADY
STARÉ MESTO
DVORY
PETRŽALKA
LÚKY
LAMAČ
VOJENSKÁ NEMOCNICA
SLOV. ÚSTAV SRDC.A CIEV. CHORÔB
NÁRODNÝ ONKOLOGICKÝ ÚSTAV
HLAVNÁ STANICA
Harmincova
PATRÓNKA
VALAŠSKÁ
PROKOPA VEĽKÉHO
CINTORÍN SLÁVIČIE ÚDOLIE
ŠAFRANOVÁ
BÚDKOVÁ
ŠULEKOVA
Karloveská
Mlynská dolina
Mudroňova
Pražská
Šancova
RAČIANSKE MÝTO
Mýtna
VAZOVOVA
Štefánikova
Hodžovo nám.
Palisády
Obchodná
KOLLÁROVO NÁM.
Záhradnícka
Ul. 29. augusta
Špitálska
Kamenné nám.
RAJSKÁ
Nám. SNP.
Tunel
ŠAFÁRIKOVO NÁM.
NOVÝ MOST
MOLECOVA
Botanická
Dostojevského
Nábr. arm. gen. L. Svobodu
Most Lafranconi
Nový most
Starý most
Viedenská cesta
Rusovská cesta
KÚPALISKO MATADOR
Žel. st. Petržalka
PROKOFIEVOVA
Pajštúnska
Kopčianska
KOPČANY
HOLÍČSKA
TECHNOPOL
Panónska cesta
Budatínska
Jantárová cesta
ANTOLSKÁ
Lietavská
JASOVSKÁ
VYŠEHRADSKÁ

Linky mestskej hromadnej dopravy
Verkehrslinienübersicht
Városi tömegközle kedés
City transport lines

Električka — Straßenbahn — Villamos — Tram

Autobus — Autobus — Autóbusz — Bus

Trolejbus — Obus — Trolibusz — Trolleybus

ELEKTRIČKY · STRASSENBAHNEN · VILLAMOSOK · TRAMWAYS

1 - **Dúbravka** - Pri kríži, Saratovská, Karlova Ves, Nábr. arm. gen. L. Svobodu, >> Šafárikovo nám., << Nám. Ľ. Štúra, Nám. SNP, Obchodná, **Hlavná stanica a späť**

2 - **Zlaté piesky**, Vajnorská, Trnavské mýto, Vazovova, **Hlavná stanica a späť**

3 - **Rača** - Komisárky, Račianska, ŽST Vinohrady, Račianske mýto, **Hlavná stanica a späť**

4 - **Karlova Ves**, Nábr. arm. gen. L. Svobodu, Nám. Ľ. Štúra, Kamenné nám., Špitálska, Krížna, Trnavské mýto, Vajnorská, **Zlaté piesky a späť**

5 - **Rača** - Komisárky, Račianska, ŽST Vinohrady, Račianske mýto, Obchodná, tunel, Nábr. arm. gen. L. Svobodu, Karlova Ves, Saratovská, Dúbravka - **Pri kríži a späť**

6 - **ŽST Nové Mesto**, Vajnorská, Trnavské mýto, Krížna, >> Vazovova, >> Obchodná, >> Nám. SNP, << Špitálska, **Kamenné nám. a späť**

7 - **ŽST Vinohrady**, Račianska, Račianske mýto, >> Americké nám., >> Špitálska, << Obchodná, **Nám. SNP a späť**

8 - **Ružinov** - Astronomická, Trnavské mýto, Vazovova, **Hlavná stanica a späť**

9 - **Karlova Ves**, Nábr. arm. gen. L. Svobodu, tunel, Obchodná, Vazovova, Trnavské mýto, Ružinov - **Astronomická a späť**

11 - **Rača** - Komisárky, Račianska, ŽST Vinohrady, Račianske mýto, Americké nám., Špitálska, >> Jesenského, << Šafárikovo nám., **Nám. Ľ. Štúra a späť**

12 - **Dúbravka** - Pri kríži, Saratovská, Karlova Ves, Nábr. arm. gen. L. Svobodu, >> Vajanského nábr., << Nám. Ľ. Štúra, **Šafárikovo nám. a späť**

14 - **Ružinov** - Astronomická, Trnavské mýto, Krížna, Špitálska, >> Jesenského, << Šafárikovo nám., **Nám. Ľ. Štúra a späť**

AUTOBUSY · AUTOBUSSE · AUTÓBUSZOK · BUSES

20 - **Dev. Nová Ves** - Opletalova, Opletalova, Mlynská, Istrijská, Nám. 6. apríla, Eisnerova, komunikácia do Devínskej Novej Vsi, Technické sklo, Agátová, Saratovská, Dúbravka - **OD Saratov a späť**

21 - **Dev. Nová Ves** - Volkswagen, Istrijská, Eisnerova, Patrónka, Šancová, Račianske mýto, Karadžičova, **AS Mlynské nivy a späť**

22 - **Dev. Nová Ves** - Na hriadkach, Eisnerova, Saratovská, Dúbravka - **Alexyho a späť**

27 - **Dev. Nová Ves** - SOŠ PZ SR, Volkswagen, Saratovská, Dúbravka - **OD Saratov a späť**

28 - **Dev. Nová Ves** - Tehelňa, Opletalova, Istrijská, Na hriadkach, Kremeľská, Devín - **Za kameňolomom a späť**; *určené spoje zachádzajú v dňoch školského vyučovania na Hradištnú ul.*

29 - **Devín**, Kremeľská, Devínska cesta, Botanická, Nábr. arm. gen. L. Svobodu, **Nový most a späť**

30 - **Lamač**, Podháj, Hodonínska, Segnáre, Lamačská, Patrónka, Mlynská dolina, Nábr. arm. gen. L. Svobodu, **Nový most a späť**

31 - **Cintorín Slávičie údolie**, Mlynská dolina, Nábr. arm. gen. L. Svobodu, Staromestská, Mýtna, Račianske mýto, Trnavské mýto, **Jelačičova a späť**

32 - **Dlhé diely** - Kuklovská, H. Meličkovej, Molecova, Botanická, Mlynská dolina, Limbová, **Hlavná stanica a späť**

33 - **Dlhé diely** - Kuklovská, H. Meličkovej, Karlova Ves - **Molecova a späť**

34 - **Dúbravka** - Pri kríži, Saratovská, Harmincova, Patrónka, Brnianska, Šancova, Mýtna, Hodžovo nám., Štefánikova, Brnianska, Patrónka, Harmincova, Saratovská, Dúbravka - **Pri kríži a späť**

35 - **Lamač**, Podháj, Hodonínska, Alexyho, Saratovská, Dúbravka - **Pri kríži a späť**

37 - **Záhorská Bystrica**, Lamačská, Patrónka, Mlynská dolina, Nábr. arm. gen. L. Svobodu **Nový most a späť**

38 - **Krematórium**, Hodonínska, Lamačská, **Patrónka a späť**

39 - **Cintorín Slávičie údolie**, Mlynská dolina, Nábr. arm. gen. L. Svobodu, Staromestská, Mýtna, Račianske mýto, Trnavské mýto, Trnavská, Ružinov - **Súhvezdná a späť**

41 - **Šafranová**, Drotárska cesta, Hroboňova, Pražská, **Hlavná stanica a späť**

43 - **Lesopark**, Železná studnička, **Patrónka a späť**

49 - **Kramáre** - Národný onkologický ústav, Vlárska, Limbová, Patrónka, **Vojenská nemocnica a späť**; *určené spoje premávajú po Ďumbiersku ul.*

0 - **OD Slimák**, Kukučínova, ŽST Nové Mesto, Tomášikova, Ružinovská, Záhradnícka, Košická, Mlynské nivy, Dostojevského rad, Šafárikovo nám., Starý most, Petržalka - **Aupark a späť**

1 - **Lopenícka,** Sliačska, Kukučinova, Trnavské mýto, Kutuzovova, Vajnorská, Odborárska, **Nobelova a späť**

2 - **Východné** - Na pasekách, Pri Šajbách, Detvianska, Rustaveliho, Rača - **Tbiliská a späť**

3 - **Vajnory**, Roľnícka, Cesta na Senec, Rožňavská, Trnavská, **Trnavské mýto a späť**; *určené spoje zachádzajú do Čiernej Vody*

4 - **Východné** - Sklabinská, Dopravná, Roľnícka, **ŽST Vajnory a späť**

6 - **Rača** - Tbiliská, Rustaveliho, Barónka, Detvianska, Pri Šajbách, Východná, Cesta na Senec, Stará Vajnorská, Studená, Cesta na Senec, Východná, Pri Šajbách, Detvianska, Barónka, Rustaveliho, **Rača - Tbiliská (okruh) a späť;** *určené spoje zachádzajú na Potočnú ul.*

7 - **Vozovňa Jurajov dvor**, Staviteľská, Žabí majer - **Stavivá a späť**; *určené spoje zachádzajú k Pamiatkostavu*

8 - **Mierová kolónia**, Vajnorská, **ŽST Nové Mesto a späť**

9 - **Rača** - Mäsokombinát, Púchovská, Račianska, ŽST Vinohrady, Račianske mýto, Staromestská, Nový most, Panónska, Smolenická, Budatínska, Lietavská, Betliarska, Petržalka - **Antolská a späť**

1 - **Letisko**, Ivanská cesta, Trnavská, Trnavské mýto, Račianske mýto, **Hlavná stanica a späť**

3 - **Trnávka** - Bojnická, Rožňavská, Trnavská, Trnavské mýto, Šancová, Patrónka, Lamačská, Podháj, **Lamač a späť**

5 - **Trnávka** - Technická, Edisonova, Rádiová, Bojnická, Stará Vajnorská, Cesta na Senec, Roľnícka, Rybničná, Mäsokombinát, Púchovská, Detvianska, Rustaveliho, Rača - **Tbiliská a späť**

7 - **Jurajov dvor**, Bojnická, Rádiová, Galvaniho, Ivanská cesta, Vrakunská, Astronomická, Dvojkrížna, Kazanská, Korytnická, Trojičné nám., Ul. padlých hrdinov, P. Biskupice - **Vinohradnícka a späť**

8 - **Petržalka-Holíčska**, Smolenická, Jiráskova, Osuského, Furdekova, Mamateyova, Dolnozemská cesta, Prístavný most, **Bajkalská a späť**

0 - **ŽST P. Biskupice**, Trojičné nám., Krajinská, Vlčie hrdlo, Prístavná, Mlynské nivy, Dostojevského rad, **Nový most a späť**

1 - **Dolné hony** - Dudvážska, Kazanská, Vlčie hrdlo, Bajkalská, Prievozská, Košická, Landererova, Dostojevského rad, **Nový most a späť**

4 - **Vlčie hrdlo**, Bajkalská, Trnavské mýto, Račianske mýto, **Hlavná stanica a späť**

5 - **Dolné hony** - Čiližská, Kazanská, Vrakunská, Gagarinova, Tomášikova, Ružinovská, Bajkalská, Račianska, ŽST Vinohrady, Pekná cesta, Krasňany - **Kadnárova a späť**

6 - **Povodie Dunaja**, Vlčie hrdlo, Bajkalská, Ružinovská, Tomášikova, **ŽST Nové Mesto a späť**

7 - **Vlčie hrdlo**, **Spaľovňa a späť**; *určené spoje zachádzajú k Vodostavu, resp. k Povodiu Dunaja*

8 - **Dolné hony** - Dudvážska, Kazanská, Uzbecká, Hradská, Ružinovská, Drieňová, Bajkalská, Trnavské mýto, Krížna, Dostojevského rad, Starý most, Jantárová, Nám. hraničiarov, Romanova, Kutlíkova, Smolenická, Petržalka - **Holíčska a späť**

9 - **Dolné hony** - Čiližská, Hradská, Uzbecká, Kazanská, ŽST P. Biskupice, Trojičné nám., Mramorová, **Lieskovec a späť**; *určené spoje zachádzajú k Štátnym lesom*

0 - **Petržalka** - Prokofievova, Jiráskova, Nám. hraničiarov, Rusovská cesta, **Nový most a späť**

1 - **Petržalka** - Technopol, Romanova, Nám. hraničiarov, Rusovská, Einsteinova, Nový most, Staromestská, Hodžovo nám., **Hlavná stanica a späť**; *určené spoje zachádzajú k Dostihovej dráhe*

2 - **Petržalka** - Kúpalisko Matador, ŽST Petržalka, Rusovská, Viedenská cesta, Starý most, Dostojevského rad, Landererova, Košická, Miletičova, Trnavské mýto, Račianske mýto, **Hlavná stanica a späť**

3 - **Petržalka** - Ovsište, Furdekova, Nám. hraničiarov, Rusovská cesta, Nový most, Staromestská, Hodžovo nám., Pražská, Patrónka, Harmincova, Saratovská, Žatevná, Dúbravka - **Pri kríži a späť**

4 - **Petržalka** - Ovsište, Dolnozemská, Bosákova, Nový most, Staromestská, Hodžovo nám., Pražská, **Prokopa Veľkého a späť**

5 - **Petržalka** - Technopol, Romanova, Furdekova, Bosákova, Starý most, Landererova, Košická, Záhradnícka, Ružinovská, Tomášikova, ŽST Nové Mesto, Vajnorská, Vozovňa **Jurajov dvor a späť**

86 - Petržalka - Kúpalisko Matador, ŽST Petržalka, Kopčianska, Jiráskova, Furdekova, Prístavný most, Prievozská, Miletičova, Záhradnícka, Drieňová, Tomášikova, Kaštieľska, ŽST ÚNS, **Prievoz - Domkárska a späť**

88 - Petržalka - Ovsište, Mamateyova, Bosákova, Starý most, **Šafárikovo nám. a späť**

89 - Petržalka - Kopčany, Panónska, Rusovská, Jantárová, Starý most, Dostojevského rad, >> Landererova, **AS Mlynské nivy a späť**

90 - Petržalka - Vyšehradská, Lietavská, Budatínska, Smolenická, Kopčianska, ŽST Petržalka, Rusovská, Einsteinova, **Nový most a späť**

91 - Čunovo, Rusovce, Balkánska, Jarovce, Panónska, **Nový most a späť**

92 - Petržalka - Dolnozemská, Betliarska, Jantárová, Romanova, Nám. hraničiarov, Rusovská, Einsteinova, Most Lafranconi, Mlynská dolina, Patrónka, Lamačská, Hodonínska, cesta do Dev. Novej Vsi, Opletalova, Dev. Nová Ves - **Volkswagen a späť**

93 - Petržalka - Jasovská, Dolnozemská, Betliarska, Lietavská, Budatínska, Smolenická, Panónska, Nový most, Staromestská, Hodžovo nám., **Hlavná stanica a späť**; *určené spoje zachádzajú k Štrkopieskom*

94 - Petržalka - Vyšehradská, Budatínska, Smolenická, Panónska, Nový most, Staromestská, **Vazovova a späť**

95 - Petržalka - Antolská, Betliarska, Jantárová, Šintavská, Smolenická, Jiráskova, Romanova, Furdekova, Bosákova, Starý most, **Šafárikovo nám. a späť**

96 - Petržalka - Holíčska, Jiráskova, Osuského, Furdekova, Mamateyova, Dolnozemská, Prístavný most, Bajkalská, Gagarinova, Tomášikova, **ŽST Nové Mesto a späť**

97 - Petržalka - Vyšehradská, Jantárová, Lietavská, Budatínska, Šintavská, Romanova, Furdekova, Mamateyova, Dolnozemská, Prístavný most, Bajkalská, Vlčie hrdlo, Kazanská, Komárovská, Vrakunská, Hradská, Ružinov - **Astronomická a späť**

180 - Petržalka - Kúpalisko Matador, ŽST Petržalka, Rusovská, Einsteinova, Nový most, Staromestská, **Kollárovo nám. a späť**

191 - ŽST Rusovce, Balkánska, Jarovce, Panónska, **Nový most a späť**

198 - Petržalka - Dolnozemská, Betliarska, Lietavská, Budatínska, Smolenická, Kutlíkova, Dolnozemská, Prístavný most, Bajkalská, >> Vajnorská, >> Riazanská, Jarošova <<, Kukučínova, **OD Slimák a späť**

TROLEJBUSY · OBUSSE · TROLIBUSZOK · TROLLEYBUSSES

201 - Dolné hony - Čiližská, Kazanská, Vrakunská, Gagarinova, Prievozská, Miletičova, Trnavské mýto, Račianske mýto, Šancová, **Hlavná stanica a späť**

202 - Dolné hony - Čiližská, Kazanská, Vrakunská, Gagarinova, Prievozská, Mlynské nivy, **Rajská a späť**

203 - Koliba, Jeséniova, Podkolibská, Karpatská, Nám. slobody, Hodžovo nám., Palisády, Mudroňova, **Búdková a späť**

204 - Valašská, Limbová, Stromová, Pražská, Šancová, Račianske mýto, Trnavské mýto, Trnavská, Rožňavská, Slovinská, Bulharská, Trnávka - **Rádiová a späť**

205 - Trnávka - Rádiová, Bulharská, Slovinská, Rožňavská, Trnavská, Jégého, Záhradnícka, Svätoplukova, Mlynské nivy, **Rajská a späť**

206 - Kramáre - Slovenský ústav srdcových chorôb, Vlárska, Stromová, Pražská, Štefánikova, Hodžovo nám., Kollárovo nám., Ul. 29. augusta, **AS Mlynské nivy a späť**

207 - Valašská, Búdková, Mudroňova, Palisády, Hodžovo nám., Kollárovo nám., Záhradnícka, Svätoplukova, Prievozská, Miletičova, **Ružová dolina a späť**

208 - Cintorín Ružinov, Mierová, Prievozská, Mlynské nivy, Ul. 29. augusta, Kollárovo nám., Hodžovo nám., **Šulekova a späť**

209 - Kramáre - Národný onkologický ústav, Vlárska, Stromová, Pražská, Račianske mýto, Trnavské mýto, Miletičova, **Ružová dolina a späť**

210 - Hlavná stanica, Račianske mýto, Legionárska, Karadžičova, **AS Mlynské nivy a späť**

212 - Vojenská nemocnica, Limbová, Stromová, Pražská, Štefánikova, Hodžovo nám., Kollárovo nám., Mickiewiczova, Záhradnícka, Jégého, **Zimný štadión a späť**

NOČNÁ DOPRAVA · NACHTVERKEHR · EJELI FUVAR · NIGHT TRAFFIC

01 - **Hlavná stanica**, Patrónka, Lamačská, diaľnica, cesta do Devínskej Novej Vsi, Eisnerova, Istrijská, J. Jonáša, Devínska Nová Ves - **Volkswagen a späť**

02 - **Hlavná stanica**, Račianske mýto, Legionárska, Karadžičova, Dostojevského rad, Rázusovo nábr., Nábr. arm. gen. L. Svobodu, Botanická, Devínska cesta, Kremeľská, **Devín a späť**

03 - **Hlavná stanica**, Hodžovo nám., Staromestská, Nábrežie arm. gen. L. Svobodu, Botanická, Karloveská, Molecova, H. Meličkovej, Dlhé diely - **Kuklovská a späť**

04 - **Hlavná stanica**, Hodžovo nám., Staromestská, Nábrežie arm. gen. L. Svobodu, Botanická, Karloveská, M. Sch. Trnavského, Saratovská, Štepná, Dúbravka - **Žatevná a späť**

05 - **Hlavná stanica**, Patrónka, Lamačská, Hodonínska, Vrančovičova, Podháj, **Záhorská Bystrica a späť**

06 - **Hlavná stanica**, Hodžovo nám., Staromestská, Nový most, Einsteinova, Rusovská, Nám. hraničiarov, Osuského, Romanova, Kutlíkova, Jantárová cesta, Betliarska, Petržalka - **Jasovská a späť**

07 - **Hlavná stanica**, Hodžovo nám., Staromestská, Nový most, Černyševského, Bosákova, Ovsište, Mamateyova, Furdekova, Osuského, Romanova, Jiráskova, Smolenická, Budatínska, Petržalka - **Vyšehradská a späť**

08 - **Hlavná stanica**, Hodžovo nám., Staromestská, Nový most, Panónska, Jarovce, Rusovce, Balkánska, **Čunovo a späť**

09 - **Hlavná stanica**, Račianske mýto, Legionárska, Karadžičova, Dostojevského rad, Landererova, Košická, Prievozská, Miletičova, Záhradnícka, Bajkalská, **Vlčie hrdlo a späť**

10 - **Hlavná stanica**, Hodžovo nám., Kollárovo nám., Ul. 29. augusta, Mlynské nivy, Prievozská, Mierová, Vrakunská, Komárovská, Krajinská, Trojičné nám., **ŽST Podunajské Biskupice a späť**

11 - **Hlavná stanica**, Hodžovo nám., Kollárovo nám., Mickiewiczova, Záhradnícka, Ružinovská, Vrakunská, Ivanská cesta, Galvaniho, Trnávka - **Bojnická a späť**

12 - **Hlavná stanica**, Hodžovo nám., Mýtna, Račianske mýto, Trnavské mýto, Trnavská, Vrakunská, Hradská, Uzbecká, Kazanská, Dolné hony - **Čilizská a späť**

13 - **Hlavná stanica**, Hodžovo nám., Kollárovo nám., Krížna, Trnavská, Bajkalská, Drieňová, Tomášikova, Rožňavská, Slovinská, Bulharská, Trnávka - **Rádiová a späť**; *určené spoje zachádzajú na Letisko*

14 - **Hlavná stanica**, Račianske mýto, Trnavské mýto, Vajnorská, Cesta na Senec, Roľnícka, **Vajnory a späť**; *určené spoje zachádzajú na Východné*

15 - **Hlavná stanica**, Hodžovo nám., Mýtna, Račianske mýto, Račianska, Púchovská, Rybničná, Na pantoch, Rača - **Mäsokombinát a späť**

16 - **Vojenská nemocnica**, Valašská, Búdková, Mudroňova, Palisády, Hodžovo nám., Nám. slobody, Karpatská, Podkolibská, Jeséniova, **Koliba a späť**

17 - **Jurajov dvor**, Bojnická, Rádiová, Galvaniho, Ivanská, Vrakunská, Astronomická, Hradská, Dvojkrížna, Kazanská, Uzbecká, Korytnická, Učiteľská, **ŽST P. Biskupice a späť**

18 - **Hlavná stanica**, Stromová, Limbová, Lovinského, Hroboňova, **Amfiteáter a späť**; *určené spoje jednosmerne zachádzajú k Cintorínu Slávičie údolie*

AMBASÁDY · BOTSCHAFTEN · KÉPVISELETI HIVATALOK · EMBASSIES

Angola	Jančova 8	6280 3373
Belgicko · Belgium	Fraňa Kráľa5	5249 1338
Bielorusko · Belorussia	Godrova 4	5441 4664
Bulharsko · Bulgaria	Kuzmányho 1	5441 5308
Česká republika · Czech Republic	Hviezdoslavovo nám. 8	5920 3303
Čína · China	Údolná 7	5441 1577
Dánsko · Denmark	Ventúrska 12	5441 8470
Egypt	Ferienčíkova 14	5296 1474
Fínsko · Finland	Moyzesova 5	5443 4774
Francúzko · France	Hlavné nám. 7	5443 5725
Grécko · Greece	Hlavné nám 4	5443 4143
Holandsko · Holland	Fraňa Kráľa 5	5249 1577
Chorvátsko · Croatia	Mišíkova 21	5443 3647
India	Radlinského 2	5293 1700
Indonézia · Indonesia	Mudroňova 51	5441 9887
Island · Iceland	Mlynské Nivy 42	5341 1109
Juhoslávia · Yugoslavia	Búdkova 38	5443 1927-32
Južná Kórea · South Korea	Hviezdoslavovo nám. 20	5939 4204
Kanada · Canada	Mišíkova 28d	5244 2175
Kuba · Cuba	Somolického 1/a	5249 2777
Luxembursko · Luxembourg	Bajkalská 25	5341 8585
Maďarsko · Hungary	Sedlárska 3	5443 0541
Nemecko · Germany	Hviezdoslavovo nám. 10	5441 9640
Nórsko · Norway	Jašíkova 2	4329 6524
Poľsko · Poland	Hummelova 4	5441 3196
Portugalsko · Portugal	Karpatská 11	5939 7030
Rakúsko · Austria	Ventúrska 10	5443 2985
Rumunsko · Romania	Fraňa Kráľa 11	5249 1665
Rusko · Russia	Godrova 4	5441 3468
Slovinsko · Slovenia	Moyzesova 4	5727 4330
Španielsko · Spain	Prepoštská 10	5441 5724
Švédsko · Sweden	Lermontovova 15	5443 3900
Švajčiarsko · Swiss	Tolstého 9	5930 1111
Taliansko · Italy	Červeňova 19	5441 3195
Thajsko · Thailand	Viedenská cesta 7	6727 2202
Turecko · Turkey	Holubyho 11	5441 5504
Ukrajina · Ukraine	Radvanská 35	5443 1672
USA	Hviezdoslavovo nám. 4	5443 0861
Veľká Británia · Great Britain	Panská 16	5441 9632